D1291535

Jean-Jacques Rousseau

EL CONTRATO SOCIAL

el manga

Jean-Jacques Rousseau

EL CONTRATO SOCIAL

el manga

la otra h

Diseño de la cubierta: la otra h
Traducción: Maite Medinabeitia, DARUMA Serveis Lingüístics, S.L.
Rotulación: Acrobat Estudio
Título original: Manga de dokuha, Of the Social Contract

Edición original japonesa publicada por East Press Co., Ltd.
Edición española publicada gracias al acuerdo con East Press Co., Ltd.
a través de The English Agency (Japan), Ltd.

ISBN: 978-84-16540-87-7

*Imprenta:*QPPRINT
Depósito legal: B-7612-2018
Printed in Spain

Jean-Jacques Rousseau

EL contrato social

el manga

Rousseau

Autor de *El contrato social* y guía de esta obra.
Plantea una situación hipotética con la que demuestra las contradicciones de la sociedad.

¡Tan solo el contrato social puede poner fin a la desigualdad!

William

Un joven trabajador descontento con su patria.

Monterre
Un joven político que se vuelca en la revolución tras un encuentro fortuito con un niño.

Roy
Un trabajador amigo de William.

General
El hombre que tiene en sus manos la clave de la revolución. Es más afable de lo que parece a simple vista.

Su Majestad
Un monarca absolutista que busca la gloria del Estado por encima de todas las cosas. El pueblo es tan solo una herramienta para alcanzar este fin.

Índice

La desigualdad

FRANCIA, SIGLO XVIII.

EL NOTABLE AUMENTO DE LA POBLACIÓN HACE QUE LA ECONOMÍA SE DESARROLLE A MARCHAS FORZADAS.
TAPISSIER
CAFE

CLINC
CLINC
CHAC CHAC
MIENTRAS LA NOBLEZA Y EL CLERO NADAN EN LA ABUNDANCIA COMO CIUDADANOS DE PRIMER Y SEGUNDO ORDEN...

...EL TERCER ESTAMENTO, COMPUESTO POR LOS CAMPESINOS Y EL PUEBLO, SOBREVIVE A DURAS PENAS.
A DIFERENCIA DE LAS CLASES PRIVILEGIADAS, EXENTAS DE IMPUESTOS, SE VEN OBLIGADOS A PAGAR UNOS TRIBUTOS DESORBITADOS.

LAS GUERRAS Y LA INESTABILIDAD SOCIAL HAN SACUDIDO LA NACIÓN DURANTE SIGLOS.

CON EL AVANCE DE LA CIENCIA SURGE TAMBIÉN EL CAPITALISMO, LO QUE PROPICIA EL DESARROLLO DE LA BURGUESÍA (MIEMBROS DEL TERCER ESTAMENTO QUE HAN LOGRADO PROSPERAR).
SIN EMBARGO, LA MAYOR PARTE DE LA POBLACIÓN SIGUE VIVIENDO ASFIXIADA POR LOS ELEVADOS IMPUESTOS.
CLERO
REY
NOBLEZA
PUEBLO
PUEBLO
PUEBLO

PENSADORES DE DIVERSOS PAÍSES EUROPEOS...
...DIFUNDEN EN ESTA ÉPOCA LA DOCTRINA DE LA ILUSTRACIÓN, CONTRARIA A LOS PRINCIPIOS DEL ABSOLUTISMO QUE CARACTERIZA AL ANTIGUO RÉGIMEN.

MUCHOS DE ESTOS ERUDITOS Y FILÓSOFOS PASARÍAN A LA HISTORIA.
DIDEROT (1713-1784)
MONTESQUIEU (1689-1755)
VOLTAIRE (1694-1778)
ENTRE LOS PENSADORES POLÍTICOS MÁS CELE-BRADOS DE LA ÉPOCA...
...DESTACA JEAN-JACQUES ROUSSEAU (1712-1778).

ROUSSEAU PERDIÓ A SU MADRE A LOS POCOS DÍAS DE NACER.
A CAUSA DE UN DUELO, SU PADRE SE EXILIÓ A NYON, DEJANDO AL HIJO DE 10 AÑOS AL CUIDADO DE SUS TÍOS.
A PESAR DE UNA VIDA AZAROSA, FUE UN GRAN PENSADOR: PLASMÓ EN NUMEROSAS OBRAS IDEAS ÚNICAS Y BRILLANTES.

REVOLUCIÓN FRANCESA (1789-1799)
SU OBRA MÁS REPRESENTATIVA ES EL CONTRATO SOCIAL, DONDE SE DEFINE LA ESENCIA DE LA DEMOCRACIA.
SE DICE QUE ESTE TEXTO EJERCIÓ UNA INFLUENCIA CAPITAL EN LA REVOLUCIÓN FRANCESA.

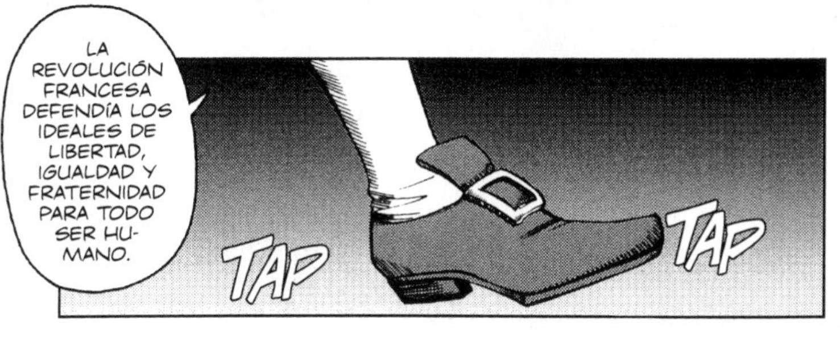
LA REVOLUCIÓN FRANCESA DEFENDÍA LOS IDEALES DE LIBERTAD, IGUALDAD Y FRATERNIDAD PARA TODO SER HUMANO.
TAP
TAP

LA LIBERTAD ES UN DERECHO UNIVERSAL.
SIN EMBARGO...

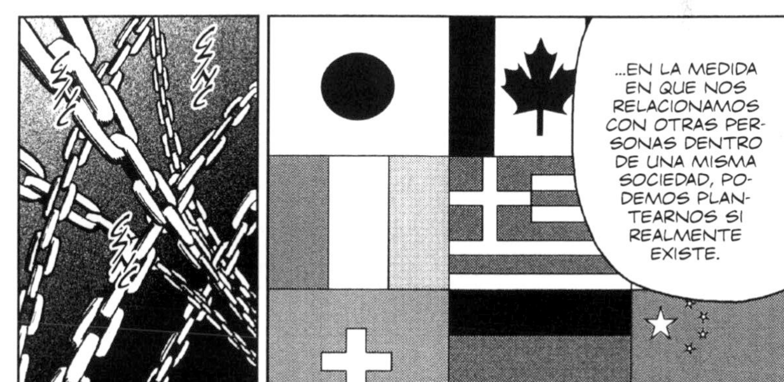
...EN LA MEDIDA EN QUE NOS RELACIONAMOS CON OTRAS PERSONAS DENTRO DE UNA MISMA SOCIEDAD, PODEMOS PLANTEARNOS SI REALMENTE EXISTE.

EL HOMBRE NACE LIBRE...
...PERO EN TODAS PARTES ESTÁ AMARRADO POR LAS CADENAS DE LA SOCIEDAD.

UNOS ACTÚAN COMO SI FUERAN DUEÑOS DE SUS SEME-JANTES...
...Y OTROS AGACHAN LA CABEZA ANTE ELLOS.
¿DE DÓNDE PROCEDE ES DESIGUALDA Y CÓMO SE JUSTIFICA?

SI OS PARECE BIEN, AHONDA-REMOS EN ESTA CUESTIÓN MIENTRAS OS EXPONGO MIS IDEAS.
TODO COMIENZA CON EL ESTADO DE NATURALEZA Y EL ESTADO SOCIAL.
TAP
TAP

Jean-Jacques Rousseau

EL CONTRATO SOCIAL

el manga

Las cadenas de la sociedad

VAMOS A EMPEZAR.
PRIMERO OS HABLARÉ DE UNA SITUACIÓN HIPOTÉTICA PARA EXPLICAROS CÓMO EVOLUCIONA EL HOMBRE DE UN ESTADO DE NATURALEZA A ORGANIZARSE EN SOCIEDAD.

EN EL ESTADO DE NATURALEZA TODO SER HUMANO PUEDE VALERSE POR SÍ MISMO Y VIVE AISLADO DE SUS SEMEJANTES.
A DIFERENCIA DE LOS ANIMALES, TIENE CONCIENCIA DE SU LIBERTAD Y LA FACULTAD DE PERFECCIONARSE.

EN ESTE MUNDO NO EXISTE EL BIEN NI EL MAL...
RAC
RAC
N-
...COMO TAMPOCO HAY DEBERE EN COMÚN NI RELACIONES ESTABLES.

EL HOMBRE NATURAL ES UNA CRIATURA PURAMENTE INSTINTIVA...
...QUE ACTÚA MOVIDA POR EL INSTINTO DE CONSERVACIÓN QUE LO AYUDA A SOBREVIVIR Y LA PIEDAD HACIA SUS SEMEJANTES.

EN EL ESTADO DE ATURALEZA, DESIGUALDAD IENE CAUSAS NATURALES Y FÍSICAS...
FIIIIIIIOH

...PUESTO QUE LA EDAD, LA SALUD, LA FUERZA Y LAS FACULTADES ANÍMICAS O MENTALES...
...PUEDEN ESTABLECER DIFERENCIAS ENTRE LOS INDIVIDUOS.

ES UN MUNDO SIN TRIFULCAS NI ORGANIZACIÓN SOCIAL, DONDE EL HOMBRE SE RIGE POR UN LIMITADO ABANICO DE EMOCIONES.

¿CÓMO SURGEN ENTONCES LA SOCIEDAD Y LA DES-IGUALDAD QUE LA ACOM-PAÑA?

YA HEMOS VISTO QUE EN EL ESTADO DE NATURALEZA APENAS HAY DESIGUALDAD...
SIN EMBARGO, SÓLO EL MÁS FUERTE SOBREVIVE. ES, POR ASÍ DECIRLO, LA LEY DE LA SELVA.

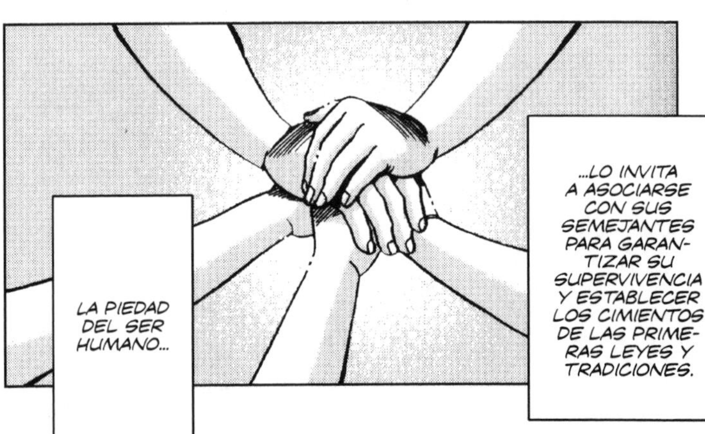
LA PIEDAD DEL SER HUMANO...
...LO INVITA A ASOCIARSE CON SUS SEMEJANTES PARA GARAN-TIZAR SU SUPERVIVENCIA Y ESTABLECER LOS CIMIENTOS DE LAS PRIME-RAS LEYES Y TRADICIONES.

EN ESTE PUNTO EL IOMBRE SE PONE A LA IATURALEZA ARA GARANTIZAR SU CONSERVACIÓN.
IMPULSADO POR LAS RELACIONES OCASIONALES QUE HA ESTABLECIDO CON SUS SEMEJANTES Y GRACIAS A LA PIEDAD, SU MENTE SE DESARROLLA VOLVIÉNDOSE MÁS HUMANA.

COMO CONSECUENCIA DE ESTE DESARROLLO INTELECTUAL, SURGE LA NOCIÓN DE "PROPIEDAD" APLICADA A ELEMENTOS COMO LA CASA O LA FAMILIA. EL HOMBRE ES AHORA UN SER RACIONAL CON EL CONCEPTO DE LA "ESTIMA PÚBLICA".

CON EL PASO DEL TIEMPO NACEN LAS RELACIONES ESTABLES, SE MULTIPLICAN LAS IDEAS Y SE ACUÑAN UNAS NORMAS EN PRO DEL BENEFICIO DE TODOS.

ALGUNOS DE MIS VECINOS SABEN CANTAR Y BAILAR, PERO ADEMÁS TIENEN UNA BUENA CASA Y MUCHAS TIERRAS. ¡QUÉ ENVIDIA, OJALÁ TODO ESO FUERA MÍO!

LA COMPARACIÓN DE LO QUE UNO TIENE CON LO QUE TIENEN LOS DEMÁS...
¡¡SE VA A ENTERAR!!
...ES EL ORIGEN DE LA DESIGUALDAD.

AÑOS MÁS TARDE...
...LOS AVANCES EN METALURGIA Y AGRICULTURA ACENTUARÍAN LA IDEA DE PROPIEDAD.

ES DECIR, EL DESEO DE LUCRARSE UNO MISMO AUNQUE SUPONGA EL SACRIFICIO DE OTRAS PERSONAS.
DE ESTE RENOVADO CONCEPTO NACEN LA COMPETENCIA Y EL CONFLICTO DE INTERESES.

ENSEMOS EN LA FAMILIA COMO SI FUERA UN MODELO EN MINIATURA DE LA SOCIEDAD.
VERÉIS QUÉ PRONTO ACABAMOS DE EXPLICAR EL ESTADO SOCIAL...

CUANDO EL SER HUMANO EMPIEZA A COMPARTIR CASA Y TIERRAS CON SUS SEMEJANTES, SURGE UNA PROPIEDAD A LA QUE LLAMAREMOS "FAMILIA".

L AMPLIAR SUS RELACIONES Y TRATAR ON OTROS RUPOS, SE ARÁ CUENTA E LAS DIFEENCIAS QUE AY ENTRE ELLOS.
ES EL INICIO DE LA ESTIMA PÚBLICA...
¡MI CASA NO ES ASÍ!
...DE DONDE NACERÁ LA IDEA DE "DESIGUALDAD".

SIN OLVIDAROS DE LA ASTUCIA NGAÑOSA, POR SUPUESTO.
¡ES TAN CANSADO TRABAJAR LA TIERRA! SI PUDIERA UTILIZARLOS A ELLOS...
A PARTIR DE ESE MOMENTO EL SER HUMANO INTENTARÁ EMBAUCAR A SUS SEMEJANTES PARA SITUARSE EN UNA POSICIÓN DE VENTAJA CON RESPECTO A ELLOS.

SI DESARRO-LLAMOS AÚN MÁS EL CONCEPTO DE PRO-PIEDAD...
CADA INDIVIDU DESEMPE UN PAPEL CONCRET EN LA SO CIEDAD...
...DESEM-BOCAMOS EN LA ESPECIA-LIZACIÓN DEL TRABAJO, POR LO QUE NECE-SITAREMOS RE-CURRIR A OTRAS PERSONAS EN DIVERSOS ASPECTOS DE NUESTRA VIDA.
...PERO EL BENEFICIO QUE RECIBE POR SU TRABAJO ES CADA VEZ MENOS EQUITA-TIVO.

EN RESUMEN: EL DESARROLLO DEL RACIOCINIO DA LUG A LOS CONCEPTO DE "PROPIEDAD" Y "ESTIMA PÚBLICA" QUE SU VEZ DESE BOCAN EN LA ASTU ENGAÑOSA Y EN LA NECESIDAD DE RECURRIR A OTRA PERSONAS POR LA PÉRDIDA DE AUTOSUFI-CIENCIA.
HABÉIS PRESENCIADO EL ORIGEN DE UNA SOCIEDAD DIVIDIDA ENTRE RICOS Y POBRES: UN EJEMPLO DE DESI-GUALDAD.

VEAMOS AHORA DÓNDE RADICA EL PROBLEMA.

LOS RICOS NO HAN ONSEGUIDO U FORTUNA E MANERA EGÍTIMA.
¡YA ME PARECÍA RARO!
¡ELLOS SON LOS ÚNICOS QUE GANAN CON ESTO!
ASÍ QUE LOS POBRES TENDRÁN QUE DECIDIR CÓMO VAN A GARANTIZAR SU CONSERVACIÓN: SIRVIENDO A LOS RICOS COMO ESCLAVOS O ARREBATÁNDOLES SUS PROPIEDADES.

ESTE ONFLICTO DE INTERESES...
¡..ACABARÁ DANDO LUGAR AL ESTADO DE GUERRA!

LLEGADOS A ESTE PUNTO, SON LOS RICOS QUIENES ESTÁN EN DESVENTAJA...
¡ABRID LA PUERTA!
POM POM POM POM
¡¡SALID DE AHÍ!!
...PUESTO QUE DEBEN CONTROLAR EL ESTADO DE GUERRA Y PROTEGER SUS PROPIEDADES.

BLA BLA

SIN EMBARGO, DESCUBREN QUE AÚN PUEDEN ALIARSE PARA FORMAR UN ESTADO...
...Y OBTIENEN ASÍ LA EXCUSA PERFECTA QUE DAR A LOS POBRES.

!
¡TENDREMOS UN GOBIERNO QUE SE RIJA POR ESTAS NORMAS!
¡DE HOY EN DELAN- E HABRÁ UNAS LEYES JE CONTROLEN UESTRO PODER!
TIENE RAZÓN... ASÍ ESTAREMOS A SALVO.
SÓLO TENDREMOS QUE CONVERTIRNOS EN MIEMBROS DE ESE ESTADO Y CUMPLIR LO QUE DIGAN LAS LEYES.
¡NOS PROTEGERÁ DE NUESTROS ENEMIGOS COMUNES CON SU PODER!
UNÁ- IONOS PARA REAR UN UEVO STADO NTRE ODOS!

¡¡COMIENZA EL MEJOR NEGOCIO DE TODOS LOS TIEMPOS!!
¡¡CONTAD CONMIGO!!
¡¡Y YO!!
¡¡YO TAMBIÉN!!
¡YO ME PUNTO!!

ASÍ NACEN LA SOCIEDAD Y LAS LEYES QUE LA ACOMPAÑAN.
UNA VEZ ESTABLECIDO EL GOBIERNO, SURGIRÁ TAMBIÉN EL ENFRENTAMIENTO POLÍTICO QUE SE PUEDE APRECIAR EN UNAS ELECCIONES, Y TARDE O TEMPRANO SE DERRAMARÁ LA SANGRE DEL PUEBLO.
VIENDO LAS DESVENTAJA QUE IMPLIC ESTE SISTEM EL GOBIERN OPTARÁ POR VOLVERSE HEREDITARIO Y EL PODER SE CONCEN TRARÁ EN UNOS POC INDIVIDU

ASISTIMOS...
...AL NACIMIENTO DE LA CLASE POLÍTICA, QUE SE ENCARGARÁ DE PERPETUAR EL CONCEPTO DE PROPIEDAD Y LA DESIGUALDAD.

LOS CARGOS ELECTOS COMIENZAN A HEREDARSE...
...Y EL PODER SE VUELVE CADA VEZ MÁS ARBITRARIO.

EL MONSTRUO DEL DESPO-TISMO MUY PRONTO HARÁ SU APARICIÓN EN LA SO-CIEDAD.

LA HONRADEZ Y EL DEBER DESAPARECEN. LA OBEDIENCIA CIEGA ES LA ÚNICA VIRTUD QUE PUEDE DEMOSTRAR EL PUEBLO.

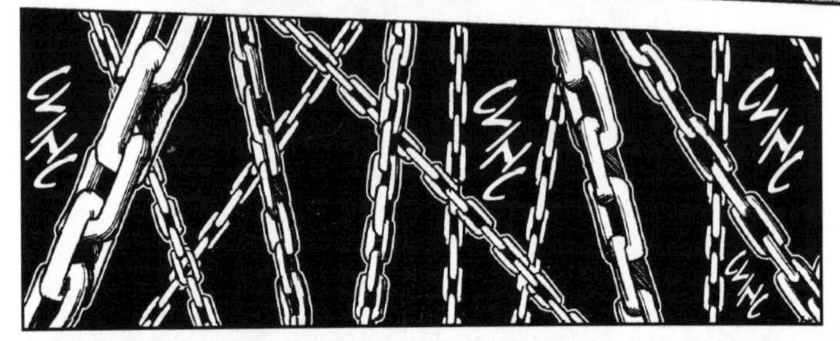

UN PUÑADO DE PODEROSOS REINAN SOBRE UNA MULTITUD DE POBRES...

...QUE SE ARRASTRAN ENTRE LAS TINIEBLAS DE LA MISERIA.

PARA TERMINAR CON LA EXPLICACIÓN, HAREMOS UN BREVE RESUMEN.

LA DESIGUALDAD SURGE...
...CUANDO EL HOMBRE SE ORGANIZA EN SOCIEDAD Y SE COMPARA CON SUS SEMEJANTES.

SI LAS LEYES LEGITIMAN ESTA SITUACIÓN...
...LA DESIGUALDAD CRECERÁ Y SE ESTABLECERÁ UNA RELACIÓN DE AMOS Y ESCLAVOS.

¿NO OS PARECE CURIOSO?

EL ESTADO SOCIAL SURGIÓ PORQUE EL HOMBRE COMO INDIVIDUO NO PODÍA SOBRE-VIVIR EN LA NATURALEZA.

AHORA BIEN...
SI EL SER HUMANO NACE LIBRE ¿QUÉ DEBE HACER PARA CONSERVAR SU LIBERTA UNA VEZ FORMA PARTE DE L SOCIEDAD?
SI SIGUE PENSANDO EN TÉRMINOS DE INTERESES Y CONSERVA-CIÓN, LE COS-TARÁ MUCHO VOLVER A ELLA.

O EN OTRAS PALA-BRAS...
¿CÓMO DEBERÍA SER EL SISTEMA POLÍTICO QUE GARANTICE LA LIBERTAD DE SUS CIUDA-DANOS?

¿HAY QUE
SOMETERSE
AL PODER...?

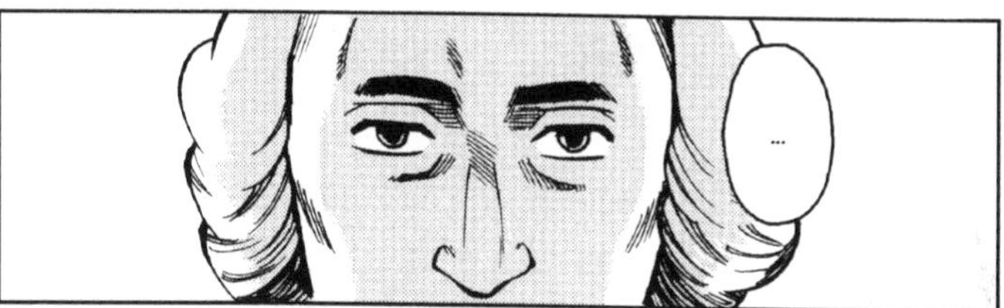
...

¿...COMO NOS
SOMETEMOS
AL QUE ES MÁS
FUERTE QUE
NOSOTROS?

JA
JA
JA
JA!!

PLONC

CEDER ANTE EL MÁS FUERTE NO ES UN DEBER, SINO UN MECANISMO QUE GARANTIZA NUESTRA CONSERVACIÓN.
¡GRACIAS!
MIRA QUE DAS TRABAJO...
TAP
TAP
TAP

TAP
POR ESO FUERZA NO CONSTITUYE DERECHO.
LA RELACIÓN ENTRE AMOS Y ESCLAVOS ES INADMISIBLE.

VEAMOS AHORA...
...LA SITUACIÓN DE UN ESTADO CON EL QUE NOS IREMOS ACERCANDO A LA SOCIEDAD IDEAL.

De amos y esclavos

¡¡MÁS RÁPIDO!!
¡¡DEJAD DE PERDER EL TIEMPO!!

¡¡COMO NO ENTREGUEMOS TODA LA HARINA, EL PAN SUBIRÁ DE NUEVO!!
¡ARF!
¡AFH!
¿¡HA QUEDADO CLARO!?

CÓMO HA VENIDO HOY EL CAPATAZ...
SI TIENE ALGUNA QUEJA, QUE BAJE AQUÍ Y LOS LLEVE ÉL. NO TE FASTIDIA...

...
LO QUE HAY QUE OÍR... ¿QUIÉN OS DA DE COMER, EH?

¡¡YA ESTÁ EN DE CHÁCHARA!!
¡¡AÚN QUEDAN SACOS EN EL CARRO!!

TENGO LA ESPALDA MOLIDA...
COMO SIGAMOS ASÍ MUCHO MÁS, NO LLEGARE- MOS A VIEJOS.

CLINC
CLINC
AY...
MIRA LO QUE CONSIGUE UN HOMBR CON EL SU DOR DE SU FRENTE...

CADA VEZ QUE TE MIRO, TE VEO MÁS DELGADO.
TEN CUIDADO, WILLIAM.
ESTOY BIEN.

TÚ YA TIENES BASTANTE DE LO QUE PREOCUPARTE.
¿CÓMO PUEDES MANTENER A UNA FAMILIA CON LO QUE GANAMOS?
...
A DURAS PENAS.

TRAC TRAC TRAC

TAP
ES LO QUE HAY...
!

LA VIDA NO CAMBIA CON SOLO CHASQUEAR LOS DEDOS.
NO ES QUE TENGA MÁS OPCIONES.

TENEMOS AL CRÍO ENFERMO Y NO PODEMOS PAGAR AL MÉDICO.
MI MUJER HA EMPEZADO A LIMPIAR EN UN HOSTAL PORQUE NECESITAMOS DINERO.

SI SUPIERA LEER, AL MENOS PODRÍA COMPRAR LIBROS Y ESTUDIAR...

NO TENGO DINERO NI EDUCACIÓN.
SI QUIERO SOBREVIVIR, ME TOCA TRABAJAR DE SOL A SOL.
NI QUE FUERA EL ÚNICO QUE ESTÁ ASÍ...
UNA STORIA COMO OTRA CUALQUIERA.

ASÍ ES LA VIDA PARA TODOS NOSOTROS.

ROY.
RAC

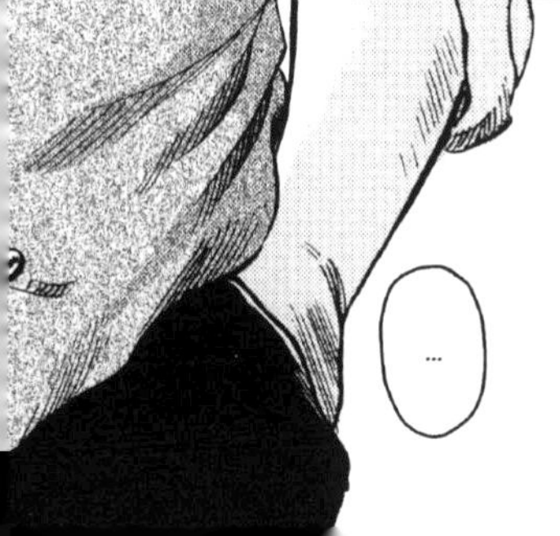
...

¡ÑGH!
!?

CONTRATA A UN BUEN PROFESOR.
ASEGÚRAT DE QUE TU HIJO APRENDE A LEER.

¿¡TE HAS VUELTO LOCO, WI-LLIAM!?
¡ES TU DINERO!
ME LAS ARREGLARÉ, ¡YO NO TENGO UNA FAMI-LIA QUE MANTE-NER!

¡MUCHAS GRACIAS!

...
TAP

OS HE
ESERVADO
UN PALCO
N LA ÓPERA
YA TENÉIS
ONCERTADAS
ARIAS VISITAS
DE CORTE-
SÍA.

NOS HAN INFORMADO DE QUE TODO MARCHA SEGÚN LO PREVISTO EN LOS CAMPOS. ESTE AÑO TEN-DREMOS UNA BUENA COSECHA DE TRIGO.
BIEN.

HA SIDO UNA DURA BATALLA, PERO NUESTROS HOMBRES HAN DEMOSTRADO UNA LIGERA SUPERIO-RIDAD.
EN CUANTO AL PARTE DE GUE-RRA...

NECE-SITAN MÉDI-COS Y ARMAS
POR DESGRACIA, LA CIFRA DE HERIDOS SIGUE EN AUMENTO.

HM...

ME PARECE BIEN.
ADE-LANTE.

...
TAP

OS HE
RESERVADO
UN PALCO
N LA ÓPERA
YA TENÉIS
ONCERTADAS
RIAS VISITAS
DE CORTE-
SÍA.

NOS HAN INFORMADO DE QUE TODO MARCHA SEGÚN LO PREVISTO EN LOS CAMPOS. ESTE AÑO TENDREMOS UNA BUENA COSECHA DE TRIGO.
BIEN.

EN CUANTO AL PARTE DE GUERRA...

HA SIDO UNA DURA BATALLA, PERO NUESTROS HOMBRES HAN DEMOSTRADO UNA LIGERA SUPERIORIDAD.

POR DESGRACIA, LA CIFRA DE HERIDOS SIGUE EN AUMENTO.
NECESITAN MÉDICOS Y ARMAS

HM...

ME PARECE BIEN.
ADELANTE.

SUBIRE-MOS LOS IMPUES-TOS DEL PUEBLO.
ESE DINERO SERVIRÁ PARA FABRICAR ARMAS Y AYUDAR A LOS SOL-DADOS.

¡HMPF!
POF
NO ES MI INTENCIÓN CONTRARIAR-OS, PERO VUESTROS SÚBDITOS NO PODRÁN SOPORTARLO.

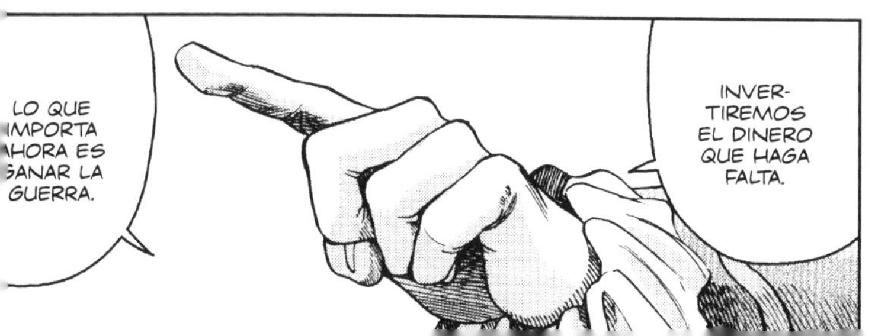
INVER-TIREMOS EL DINERO QUE HAGA FALTA.
LO QUE IMPORTA AHORA ES GANAR LA GUERRA.

¿CÓMO VOY A GOBERNAR SI TENGO QUE PENSAR EN EL PUEBLO?

ADEMÁS...

YO SOY EL REY.

GRACIAS A MIS LEYES, EL PUEBLO DUERME TRANQUILO SABIENDO QUE ESTÁ A SALVO.
SI A ALGUIEN NO LE GUSTA, QUE BUSQUE OTRO SITIO PARA VIVIR.
LA NACIÓN ESTÁ BAJO MI MANDO.

CONVOCARÉ AL CONSEJO PARA PRESENTAR LA PROPUESTA.
DISCULPAD, HA SIDO NA IMPERTINENCIA POR MI PARTE...

AL FIN Y AL CABO, LOS POLÍTI COS SIGUEN SIENDO NOBLES.
...

LOS TRATAN COMO SI FUERAN ANIMA- LES...
MIENTRAS NO SEA UNA CARGA PARA ELLOS, ¿QUÉ MÁS DA LA SUERTE QUE CORRA EL PUE- BLO?

ES COMO PARA ECHARSE A TEM- BLAR.

LOS HIJOS YA NO DEBEN OBEDIENCIA AL PADRE, QUE A S VEZ NO TIENE U OBLIGACIÓN HAC ELLOS. AHORA GOZAN DE LA MISMA POSICIÓN.

...TAMBIÉN ES POSIBLE QUE PADRES E HIJOS SIGAN UNIDOS PARA PERPETUAR LA FAMILIA.

TIENE TODA LA RAZÓN. UNA SOCIEDAD QUE REFLEJA...
...LA RELACIÓN ENTRE AMOS Y ESCLAVOS RESULTA ATERRADORA.

SI SÓLO ATENDIESE A LA FUERZA...
...EL SER HUMANO HARÍA LO CORRECTO AL OBEDECER MIENTRAS LE OBLIGAN.

SIN EMBARGO...
...HARÍA AÚN MEJOR ROMPIENDO LAS CADENAS AL PRESENTARSE LA OCASIÓN.

SIN EMBARGO, LOS GOBERNANTES ARREBATAN LA LIBERTAD DEL PUEBLO POR DERECHO...
...CUANDO DEBERÍAN EMPLEARLO PARA GARANTIZAR QUE EL HOMBRE ES LIBRE COMO PARTE DE LA SOCIEDAD.

ESTE DERECHO SE CONOCE COMO "ORDEN SOCIAL"...
...Y ES L BASE DE TODOS LOS DEMÁS.

EL ORDEN SOCIAL SE APOYA EN CONVENCIONES ACEPTADAS POR VARIOS SERES HUMANOS.
ESTE COMPROMISO CONSTITUYE LOS CIMIENTOS SOBRE LOS QUE SE ESTABLECERÁN LOS ELEMENTOS Y LAS RELACIONES QUE CONFORMAN LA SOCIEDAD.

UN BUEN DÍA LA FUNCIÓN DEL PADRE HABRÁ CONCLUIDO Y EL VÍNCULO QUE UNÍA A LA FAMILIA SE ROMPERÁ.

POR OTRA PARTE...

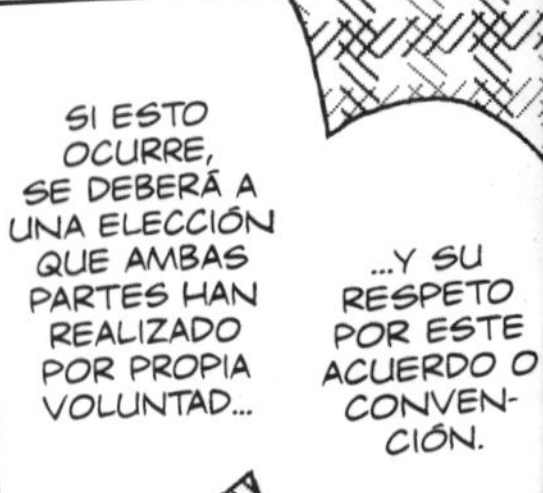
SI ESTO OCURRE, SE DEBERÁ A UNA ELECCIÓN QUE AMBAS PARTES HAN REALIZADO POR PROPIA VOLUNTAD...
...Y SU RESPETO POR ESTE ACUERDO O CONVENCIÓN.

LA VOLUNTAD ASEGURA LA LIBERTAD DE LAS PERSONAS QUE HAN ESTABLECIDO UN PACTO.
ATENCIÓN, PORQUE AQUÍ RADICA LA GRAN DIFERENCIA ENTRE EL ESTADO Y LA FAMILIA.

EL PADRE OCUPA LA POSICIÓN DEL GOBERNANTE, MIENTRAS QUE EL NIÑO ES MÁS SEMEJANTE AL PUEBLO.
UN PADRE CUIDA DE SU HIJO PORQUE LO AMA.
SIN EMBARGO, EL DOMINIO QUE EJERCE EL GOBERNANTE SOBRE EL PUEBLO SE DEBE A LA AUTOCOMPLACENCIA.

RECORDAD UNA COSA.

EL HOMBRE ES LIBRE POR NATURALEZA.
JAMÁS DEBE ENTREGARSE A ALGUIEN QUE NO CONTRIBUYA A SU SUBSISTENCIA.

¡EL SER HUMANO DEBE GARANTIZAR SU CONSERVACIÓN!
SU VOLUNTAD LO GUIARÁ PARA ENCONTRAR LOS MEDIOS NECESARIOS.
LA ESCLAVITUD ES CONSECUENCIA DE LA VIOLENCIA.
ESTA SITUACIÓN NUNCA VA A CAMBIAR PARA QUIENES HAN PERDIDO EL DESEO DE ROMPER LAS CADENAS.
DEBÉIS RECORDAR

...QUE EL SER HUMANO ES SU ÚNICO AMO...
...DESDE EL MOMENTO EN QUE TIENE USO DE RAZÓN.

GLUUUURG
GH... ESTO ME PASA POR VENIR SIN DESAYU-NAR.
NO PUEDO SEGUIR AHORRAN-DO EN COMIDA...

NOSO-TROS ACABA-REMOS IGUAL COMO NO NOS CUIDE-MOS.
ME HAN DICHO QUE ESTÁ ENFER-MO...
HACE DÍAS QUE NO VEO A ROY. ¿LE PASA ALGO?

SI ME OCURRIERA ALGO, ME QUEDARÍA SIN TRABAJO Y SIN DINERO.
TIENEN RAZÓN... NO PUEDO SEGUIR ASÍ ETERNAMENTE.

POR DESGRACIA, NO HAY NADA QUE PUEDA HACER.

EN CUANTO TERMINE, IRÉ A COMPRAR ALGO DE PAN.
GLUUUUUURG

TCHAC
!!

¿QUÉ TE PONGO?
¡ERES TÚ, WILLIAM!

¿QUÉ TE OCURRE? TIENES MUY MALA CARA...
DOS BARRAS DE PAN.
CLOC

¿¡LE DISTE TODO EL DINERO A ROY!?
TIENE UNA FAMILIA QUE CUIDAR...

OYE.
¿HAS LEÍDO EL PERIÓDICO DE HOY?
QUÉ VA, SI NO TENGO UN CÉNTIMO.

¿QUÉ DICE?
ES TERRIBLE.

QUIEREN SUBIR EL IMPUESTO SOBRE EL PAN.
¡¿QUÉ...

COMO TODO EL MUNDO COME PAN, ASÍ RECAUDAN MÁS DINERO.
ES POR LA GUERRA.
SI HACE NADA YA SUBIERON LA SAL...

MUY BUENAS, ¿QUÉ LE PONGO?
BUENOS DÍAS.
TCHAC

¿CÓMO VAMOS A VIVIR ASÍ?

VUELVE CUANDO QUIERAS.
GRACIAS POR EL PAN.

¿QUÉ HACE AQUÍ TANTA GENTE?

BLA
BLA
BLA

ES EL PERIÓDICO DE HOY...

MUY POR ENCIMA...
¿NO HAS LEÍDO EL PERIÓDICO, CHICO?

DISCULPE, ¿HA PASADO ALGO?

COMO ADEMÁS ESTÁN LOS TRIBUTOS QUE PAGAMOS AL ESTADO, CUALQUIERA LLEGA A FIN DE MES.
HACE NADA QUE SUBIERON LA SAL.

LA GENTE ESTÁ ENFADADA.
SI SUBEN ALGO MÁS, NO SÉ QUÉ VAMOS A HACER.
AHORA LES HA DADO POR EL PAN.

HA VENIDO TODO EL MUNDO.
NO ME EXTRAÑA, NOSOTROS SOMOS LOS ÚNICOS QUE SE APRIETAN EL CIN-TURÓN.

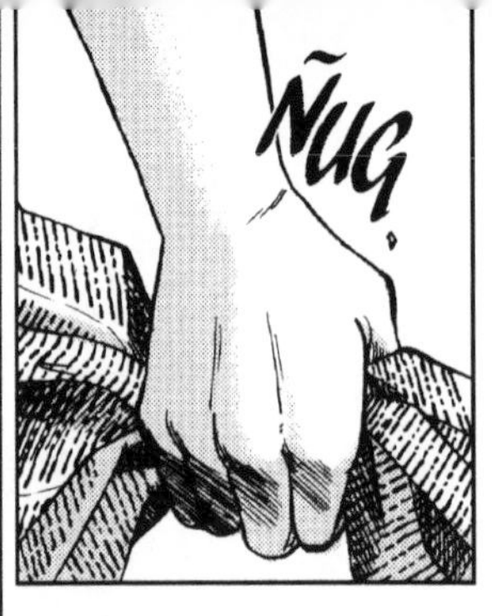
ÑUG.

¡ESCU-CHADME, POR FAVOR!

HEMOS LLEGADO...
...A UNA SITUACIÓN DESES-PERADA.

SI SOMOS TAN HUMANOS COMO CUALQUIER NOBLE...
¿...POR QUÉ NOSOTROS PADECEMOS EN LA POBREZA Y ELLOS NO?

¡ES VERDAD! ¡EL PUEBLO ES EL ÚNICO QUE PAGA IMPUESTOS!
¡POR MUCHO QUE TRABAJEMOS, LAS COSAS NUNCA MEJORAN!
¡NO ES JUSTO!

NO TENEMOS VOLUNTAD.
¿CÓMO PUEDE HACERNOS ESTO LA MADRE PATRIA?

¡EN ESTA SOCIEDAD HAY ALGO QUE NO FUNCIO-NA!
¡NUESTROS DERECHOS DEBERÍAN DARNOS LA LIBERTAD!

¡SÍ!
¡¡ASÍ SE HA-BLA!!

TIENE RAZÓN...

PERO NO HAY NADA QUE PODAMOS HACER.
EL ESTADO TIENE DI-NERO Y UN EJÉRCITO, MIENTRAS QUE NOSO-TROS...

POR MUCHO QUE PELEEMOS, NADA VA A CAMBIAR.

NO ESTOY DE ACUERDO.
TAP

¿QUIÉN ES?
PARECE DE BUENA FAMILIA...

TODO ES POSIBLE SI SE INTENTA.

¿¡QUÉ SABES TÚ DE MÍ!?
LA VIDA NO ES TAN FÁCIL COMO TE PIENSAS.
...

¿NO SERÁ QUE TE HAS RESIGNADO A SEGUIR TAL COMO ESTÁS?
¿EH?

NUNCA LO HE DUDADO.
POR ESO TODOS NECESI-TAMOS UN IDEAL.

LA VOLUNTAD DE CAM-BIAR LAS COSAS Y ESCAPAR DE ESTA SITUA-CIÓN...
...DEBERÍA EXTEN-DERSE POR EL PUEBLO.

¿O PREFIERES SEGUIR VIVIENDO COMO UN ANIMAL?
¿EH?

¡SE-
ÑOR!

¡CASI ME DA ALGO CUANDO HE VISTO QUE NO ESTA-
BAIS!
DISCULPA, QUERÍA OÍR LO QUE DECÍAN.

LA PRÓXI-
MA VEZ AVISADME ANTES DE MARCHA-
ROS.
TEN-
DRÉ MÁS CUIDA-
DO.

PER-
DONA.
AÚN NO ME HE PRESEN-
TADO.
TOC
TOC

ME LLAMO MONTERRE.
¿Y TÚ ERES...?
¡DAOS PRISA!
WILLIAM...

ESPERO QUE VOLVAMOS A VERNOS, WILLIAM.
LO MISMO DIGO...

TRAC
TRAC
TRAC

¿QUIÉN SERÁ ESE HOMBRE?

¡WILLIAM!
!

¡ROY!
¡HOLA!

¿TE ENCUENTRAS MEJOR?
COMO NUEVO... UN POCO MÁS Y PODRÉ VOLVER AL TRABAJO.

¿SE HAN REUNIDO POR LOS IMPUESTOS DEL PAN?
ESO CREO.

...

WILLIAM, TENEMOS QUE HABLAR.

ESO ES.
¿UNA SOCIEDAD?

ES UN SITIO DONDE LA GENTE QUE QUIERE CAMBIAR EL GOBIERNO SE REÚNE PARA HABLAR.
ALGO PARECIDO A LO QUE HACEN LOS NOBLES EN SUS SALONES.
SI LOS PECES GORDOS SIGUEN TRATÁNDONOS COMO A ESCLAVOS, CADA VEZ SEREMOS MÁS.
UEDES IRTE SI UIERES.
NO ES NINGÚN FAROL.
QUIERO HACER LO QUE PUEDA POR MI PATRIA.

¿POR QUÉ NO VIENES?
PERO ME SENTIRÍA MÁS TRANQUILO CONTIGO ALLÍ.
NO QUIERO OBLIGARTE. YA SÉ QUE ES DIFÍCIL SACAR TIEMPO CON TANTO TRABAJO...

...HACE LO QUE PUEDE POR CAMBIAR LAS COSAS.
AUNQUE ROY TAMBIÉN SOBREVIVE A DURAS PENAS...

MIEN-TRAS TANTO, YO...
NEGARME A HACER ALGO ES CONDE-NAR MI FUTURO.
ME HE DADO POR VENCIDO CON SOLO MIRAR A MI ALRE-DEDOR.
¿O PREFIERES SEGUIR VIVIENDO COMO UN ANIMAL?
AUNQUE, PARA OBRAR ESE CAMBIO, ANTES TENGO QUE CAM-BIAR YO.

¡¡ES PRONTO PARA RENDIR-SE!!

ESO ES LO QUE NOS HACE LIBRES.
CADA JUICIO QUE REA-LIZAMOS DEPENDE DE NUES-TRA VO-LUNTAD.

STOS
RA EL
SUIEN-
ASAL-
TO?
FRUP
ESTA VEZ HABLAREMOS SOBRE EL DERECHO DEL MÁS FUERTE Y LA ESCLAVITUD.
EL DERECHO DEL MÁS FUERTE DERIVA TAN SOLO DE SU FUERZA.
EL MÁS FUERTE

...LOS AMOS Y SEÑORES SIEMPRE HAN GOZADO DE DERECHOS POR ESTA RAZÓN.
AUNQUE CEDER ANTE LA VIOLENCIA NO ES UN DEBER...

VAMOS A VER LO QUE OCURRE.
DIIING

PARA QUE LA OBEDIENCIA AL MÁS FUERTE SE CONVIERTA EN UNA OBLIGACIÓN...
...TENDRÁ QUE HACER VALER SU DERECHO POR LA FUERZA.

DANG
DANG
DA
¡UNO!
¡DOS!
¡TRES!
DU
SH

EN EL FONDO ES MU SIMPLE
SI NO HAY OBLIGACIÓN DE DOBLEGARSE ANTE ALGUIEN, TAMPOCO EXISTIRÁ UN CASTIGO POR NO HACERLO.
¡ES LEGÍTIMO!
SI ES CIERTO QUE LA FUERZA OTORGA EL DERECHO...
...TODO CAMBIARÁ CUANDO APAREZCA OTRO INDIVIDUO AÚN MÁS FUERTE QUE EL PRIMERO.
AHORA BIEN...
SI EL MÁS FUERTE SIEMPRE HACE LO CORRECTO...
...TODOS DEBERÍAMOS INTENTAR SERLO.
GANADOR
LA LEY DE LA SELVA
PERDEDOR
LA PERSONA QUE SUPERE AL MÁS FUERTE SE LLEVARÁ TAMBIÉN SUS DERECHOS.

FRUS
¿QUÉ SENTIDO TIENE UN DERE-CHO...?
¿...QUE DESA-PARECE CUANDO LA FUERZA CESA?

CUANDO EL SER HUMANO EDE ANTE A FUERZA OR NECE-SIDAD...
¡SUEL-TA LA PASTA!
...NO PUEDE CONSIDE-RARSE QUE LO HAGA POR DEBER.
FI-JAOS.
¡NECESI-TAMOS DINERO!
HOY NO VA A SER...
SI LA FUERZA QUE NOS SOMETE SE ESFUMA, TAMBIÉN DESAPARECE EL DEBER.

ES POR ESO QUE LA FUERZA...
...JAMÁS PODRÁ CONSTITUIR DERECHO.

COMO CREYENTE, ME ARRODILLO ANTE DIOS.
TODO LO QUE OCURRE EN ESTE MUNDO SUCEDE PORQUE EL ALTÍSIMO ASÍ LO DESEA.
...

PLAC
NO OBSTANTE...
...NO CREO QUE ME ESTÉ REBELANDO CONTRA ÉL CUANDO RECURRO A UN MÉDICO POR ESTAR ENFERMO.

SON DOS COSAS DIFERENTES.
EN RESUMEN, EL DERECHO NO DERIVA DE LA FUERZA. EL SER HUMANO SÓLO DEBERÍA DOBLEGARSE ANTE EL PODER LEGÍTIMO.
TAP TAP
AHORA QUE YA HEMOS HABLADO DEL MÁS FUERTE...
...NOS CENTR REMOS EN LA ESCLA VITUD

SUPONGAMOS QUE UN HOMBRE ENTREGA SU LIBERTAD A OTRO Y SE CONVIERTE EN SU ESCLAVO.
NINGUNA PERSONA TIENE POR NATURALEZA AUTORIDAD SOBRE SUS SEMEJANTES...
...Y YA HEMOS VISTO QUE LA FUERZA NO DEBE CONFUNDIRSE CON EL DERECHO.
PARA EMPEZAR, NO HABRÍA SIDO NECESARIO LLEGAR A ESTE EXTREMO.
LAS CONVENCIONES Y LOS PACTOS SON LA BASE DE TODA AUTORIDAD LEGÍTIMA ENTRE INDIVIDUOS.

EL HOMBRE DEBE GARANTIZAR SU CONSERVACIÓN...
...POR LO QUE NO ENTREGARÁ SU LIBERTAD A ALGUIEN QUE NO LE AYUDE A SOBREVIVIR.

SI UN HOMBRE ENTREGA SU LIBERTAD, LA "CEDE" O SE LA "VENDE" A UNA TERCERA PERSONA.
ÉSTE ES UN MEDIO...
...QUE PUEDE PROVEERNOS DE TODO LO QUE NECESITAMOS PARA SOBREVIVIR.
HE AQUÍ EL MOTIV POR EL QUE UN PUEBLO SE ENTR GA A S REY.

SIN EMBARGO...
...EL DÉSPOTA CONSIGUE QUE SUS SÚBDITOS NO OBTENGAN A CAMBIO LA DEBIDA SUBSISTENCIA.
ANTES BIEN, EXTRAE LA SUYA DEL PUEBLO.

TRAS VERSE PRIVADOS DE SUS PROPIEDADES, ¿POR QUÉ DEBERÍAN ENTRE-GARSE AL REY?
¿ACASO LES QUEDA ALGO DIGNO DE PRESERVAR CON LA VIDA?

LAS GUERRAS PROVOCADAS POR LA AM-BICIÓN DEL DÉSPOTA.
LA AVARICIA DEL GOBER-NANTE QUE DEVORA TODO LO QUE EN-CUENTRA A SU PASO.
LAS ABSURDAS DEMANDAS EXIGIDAS AL PUEBLO.

MUCHOS PENSARÁN QUE EL DÉSPOTA ASEGURA LA TRANQUILIDAD CIVIL DE SUS SÚBDITOS.
PERO ¿QUÉ OBTIENEN ELLOS REALMENTE...?
¿...SI ESTA FORMA DE GOBIERNO SUPONE OTRA MISERIA?

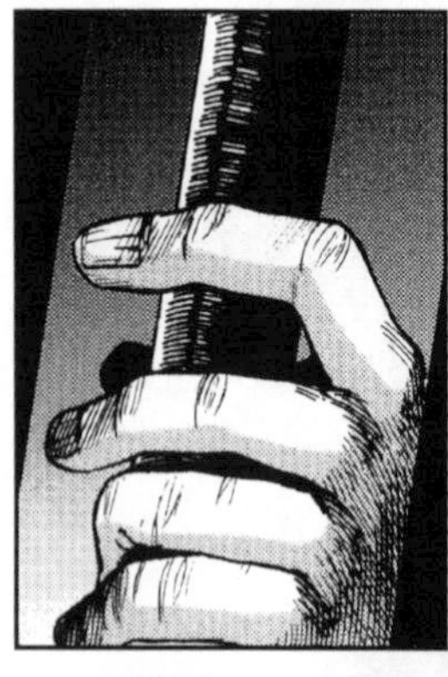

EL HOMBRE TAMBIÉN PODRÍA PERMANECER A SALVO EN UN CALABOZO...

...PERO ESO NO SIGNIFICA QUE ESTÉ SATISFECHO CON SU DESTINO.

LA MONARQUÍA SE BASA EN EL DERECHO HEREDITARIO SOBRE UN ESTADO.
SI EL PODER ABSOLUTO RESIDE EN UNA SOLA PERSONA, EL SISTEMA POLÍTICO SE DENOMINA "DESPOTISMO".
EJEM...

¿PARA QUÉ IBA A HACERLO SI NO OBTIENE RECOMPENSA ALGUNA?
ES ABSURDO QUE UN PUEBLO SE ENTREGUE AL ESTADO SIN CONSEGUIR NADA A CAMBIO.

PIENSA EN TU VOLUNTAD COMO SI FUERA TU AMO. O MEJOR AÚN, COMO EN UN PADRE.
NO TIENES MÁS SEÑOR QUE TÚ MISMO.

TODOS LOS NIÑOS NACEN LIBRES.
SIN EMBARGO, EL PADRE PUEDE ESCOGER LAS CONDICIONES QUE CONSIDERE OPORTUNAS PARA GARANTIZAR LA CONSERVACIÓN Y EL BIENESTAR DEL PEQUEÑO.
¡HAZ ESTO!
¡MEJOR LO OTRO!
TU VOLUNTA NUNCA T ENTREGA A OTRO HOMBRE INCOND CIONAL MENTE

ESO EXTRALIMITARÍA LOS DERECHOS PATERNOS.
LA LIBERTAD NOS PERTENECE A TODOS Y CADA UNO DE NOSOTROS. NO PODEMOS RENUNCIAR A ELLA.

PLOOOM
BUF...
POR FIN HE ACABADO.

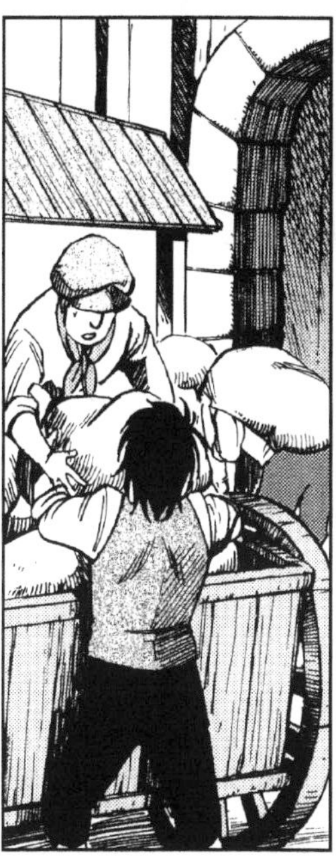

¿QUÉ TAL, WILLIAM?
ROY...

¿HAS PEN-SANDO EN LO QUE TE DIJE?
SÍ.

IRÉ CONTI-GO.
¿¡DE VER-DAD!?

IGUAL HAY ALGO EN LO QUE PUEDA AYUDAR.
ME ALE-GRO DE OÍRLO.

EN CUANTO AL SITIO Y LA HORA...

NO QUE-
REMOS
LLAMAR
LA ATEN-
CIÓN.
¿SIEMPRE
OS REU-
NÍS TAN
TARDE?
TAP
ES EN
EL TERCER
PISO, LA
CASA DEL
MEDIO.
YA
HEMOS
LLEGADO.

ÑIII
IIIC
OS PRESENTO A WILLIAM.
EL COMPAÑERO DE TRABAJO DEL QUE OS HABLÉ...
¿¡QUÉ HORAS SON ÉSTAS DE LLEGAR, ROY!?
PERDÓN, TENÍA COSAS QUE HACER.

ES BUENA GENTE.
A PARTIR DE HOY, PARTICIPARÁ EN NUESTRAS REUNIONES.

¡CLARO! ROY SE REFERÍA A TI...
ES UN PLACER, WILLIAM.
LO MISMO DIGO.
SIENDO AMIGO TUYO NO ME EXTRAÑA.

¡ERES TÚ...!
ME ALEGRO DE VOLVER A VERTE, WILLIAM.

¿OS CONOCÉIS?
MÁS O MENOS.
EL SEÑOR MONTERRE PAGA EL ALQUILER DE ESTE LOCAL.

ES UN GRAN POLÍTICO UE ESTÁ IGUIENDO OS PASOS DE SU PADRE.
MAL QUE LE PESE, NO HA TARDADO EN LLEGAR A LO MÁS ALTO DE SU PROFESIÓN.
BASTA DE HABLAR SOBRE MÍ Y PONGÁMONOS MANOS A LA OBRA.

ANOCHE ENTRARON A ROBAR EN UNA CASA DE LA CIUDAD Y ATACARON A SU DUEÑO.
CUANDO ARRESTARON AL LADRÓN,
DIJO QUE LO HABÍA HECHO PORQU NO POD PAGAR LO IMPUES TOS Y E HAMBR LO ESTA MATAND

OTRA VÍCTIMA DE LA GUERRA...
SIEMPRE NOS TOCA PAGAR A LOS MISMOS.

¿POR QUÉ ESTAMOS EN GUERRA?
¿EH? ¿NO LO SABES?
POR L SAL.

ES
IMPRES-
NDIBLE
RA CON-
MENTAR
COMIDA
RESER-
ARLA.
IMAGÍNATE CÓMO SERÍA VIVIR SIN ELLA.
COMO NO TENEMOS MAR, NOS CUESTA MUCHO CONSEGUIRLA.
SIN EMBARGO, EL PAÍS VECINO SÍ QUE DA A LA COSTA. SI NOS HACEMOS CON SUS TIERRAS, PROBLEMA RESUELTO.

¿NO SERÍA MÁS FÁCIL COMPRAR LA SAL QUE NOS FALTA Y LLEVARNOS BIEN CON ELLOS?
EL ESTADO SE HA METIDO EN ESTO PORQUE SE LO QUIERE AHORRAR.

WILLIAM TIENE RAZÓN, EL ESTADO NO GANARÍA GRAN COSA.
NO TIENE SENTIDO, DECLARAR UNA GUERRA PARA CONSEGUIR SAL NOS TRAERÁ MÁS PROBLEMAS QUE OTRA COSA.
AHORA QUE LO DICES...

BUSCA ALGO MÁS QUE LA SAL.
PARA SER EXACTOS, NUEVOS TERRITORIOS.

ASÍ PODRÍA EXTENDER SUS DOMINIOS.
CUANTOS MÁS SÚBDITOS TENGA, MÁS IMPUESTOS PODRÁ RECAUDAR.

LO ÚNICO QUE PRETENDE ES AUMENTAR SUS INGRESOS DE CARA AL FUTURO.

UNA BESTIA INSACIABLE CONTROLA NUESTRA NACIÓN.

SEÑOR MONTERRE.
A LA PORRA CON TODO.
FLAAP
...

ME DIJO UNA VEZ QUE TODO ES POSIBLE SI SE IN-TENTA...
...Y QUE TODOS NOSOTROS NECESITA-MOS UN IDEAL.
GRACIAS A USTED COMPRENDÍ QUE DEBÍA CAMBIAR.
DÍGAME, ¿QUÉ PUEDO HACER PARA AYUDAR A MI PATRIA?

...
HAY ALGO QUE DEBE-RÍAMOS CON-TARTE.

NUESTRO OBJETIVO ES LA REVOLUCIÓN.
LOS POBRES, LOS NOBLES Y EL REY.

PARA QUE TODOS SEAMOS LIBRES, EL ESTADO DEBERÍA ESTAR GOBERNADO POR UNAS LEYES QUE ASEGUREN LA IGUALDAD.

¿LA REVOLUCIÓN?
BUM
BUM
YA CONOCES NUESTRO IDEAL.

AUNQU
PARA ES
HACE FAL
MUCHA
GENTE.
TENDREMOS LEYES NUEVAS Y BUSCAREMOS OTRO GOBIERNO.

GLUPS

LO MEJOR QUE PODEMOS HACER POR EL MOMENTO ES CONCIENCIAR AL PUEBLO.
LAS COSAS SEGUIRÁN COMO HASTA AHORA A MENOS QUE ALGUIEN LAS CAMBIE.
TODAVÍA NOS QUEDA UN LARGO CAMINO QUE RECORRER.
GREC

¿PODRÍAS OBEDECER TRANQUILAMENTE A ALGUIEN DISPUESTO A ENCAÑONARTE?
WILLIAM.

?
TRANQUILO.
CADA UNO SIGUE LOS DICTADOS DE SU PROPIA VOLUNTAD, POR ESO LA SOCIEDAD DEBERÍA ESTAR ESTRUCTURADA SOBRE UN ACUERDO MUTUO.

LA VOLUNTAD NOS HACE LIBRES, CHICO.

SI SUPONEMOS UE LAS AVES TAMBIÉN LA IENEN, SIGNIFICARÍA QUE SON ELLAS QUIENES DECIDEN SI QUIEREN VOLAR.
NUNCA SE ENCERRARÍAN EN UNA JAULA Y RENUNCIARÍAN A LA LIBERTAD DE ALZAR EL VUELO.

SIN EMBARGO, ESO ES LO QUE HACEMOS NOSOTROS...
...EN EL MOMENTO EN QUE DECIDIMOS VENDERNOS.

PERDÓN, NO HE ENTENDIDO ESA ÚLTIMA PARTE.
CUANDO ACEPTAMOS UN ACUERDO, EL INTERÉS DE AMBAS PARTES DEBE COINCIDIR.
SIN EMBARGO, SI ALGUIEN TE APUNTA CON UN ARMA, OBEDECES SIN QUE TU VOLUNTAD PUEDA OPINAR NADA AL RESPECTO.
AL DESPOJARNOS DE DERECHOS Y DEBERES...
...RENUNCIAMOS A LO QUE NOS HACE HUMANOS.

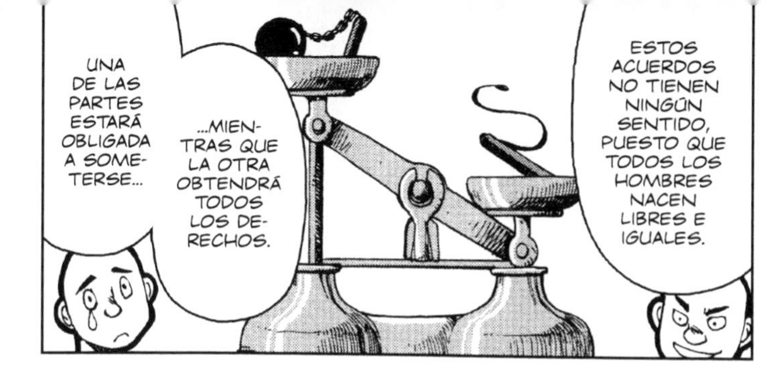
ESTOS ACUERDOS NO TIENEN NINGÚN SENTIDO, PUESTO QUE TODOS LOS HOMBRES NACEN LIBRES E IGUALES.
UNA DE LAS PARTES ESTARÁ OBLIGADA A SOMETERSE...
...MIENTRAS QUE LA OTRA OBTENDRÁ TODOS LOS DERECHOS.

SIN EMBARGO, SÓLO HAY QUE ASOMARSE A LA CALLE PARA VERLO.
...UNA PERSONA JAMÁS DEBERÍA APROPIARSE DE LOS DERECHOS DE SUS SEMEJANTES.

SOMOS PRISIONEROS A LOS QUE HAN ROBADO LA LIBERTAD.

ES PARA ECHARSE A TEMBLAR...

LO PRIMERO ES DAR A CONOCER LA SITUACIÓN DEL ESTADO.

¡¡LA REVOLUCIÓN DEBE TRIUNFAR!!

BUSCAD A TANTA GENTE COMO PODÁIS, ¡DECIDLES QUE APOYEN NUESTRA CAUSA!
INTENTARÉ ECHAR MANO DE MIS CONTACTOS.

¡NECESITAMOS TU AYUDA PARA LUCHAR POR NUESTRA PATRIA!
¡SÍ!
HARÁ FALTA UN GRAN APOYO PARA QUE LA REVOLUCIÓN SALGA ADELANTE.

LIBRAIRIE

LIBRAIRI

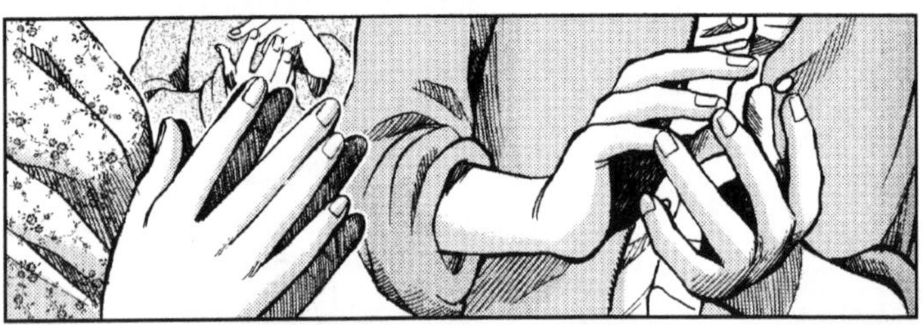

DEBERÍAMOS DEJARLO POR HOY.
SE HA HECHO TARDE...

ROY, ENSEGUIDA VOY.
VALE.

...

SEÑOR MONTERRE...
¿OCURRE ALGO?

BLOB
BLOB
BLOB

¿POR QUÉ HACE ESTO POR NOSOTROS?
DISCULPE...

ALGO OCURRIÓ CUANDO SUBIERON EL IMPUESTO SOBRE EL PAN.

...

CLAC
NO ES MUY NORMAL QUE UN MIEMBRO DE LA NOBLEZA SE PREOCUPE TANTO POR EL PUEBLO, ¿VERDAD?

TRAC
TRAC TRAC
TRAC TRAC
¿¡EN QUÉ ESTARÁ PENSANDO EL REY!?
¡MALDITA SEA!
TRAC
TRAC TRAC
TRAC

AUNQUE GANEMOS LA GUERRA, ESO NO VA A MEJORAR EL ESTADO DE LAS ARCAS. ADEMÁS, ¿QUIÉN NOS GARANTIZA QUE EL NUEVO TERRITORIO SEA FÁCIL DE ANEXIONAR?
TRAC TRAC
SI SIGUE PRESIONANDO AL PUEBLO, SOLO CONSEGUIRÁ VOLVERLO EN SU CONTRA.
!!!
!!!
HASTA LOS MIEMBROS DEL CONSEJO LO SABEN, PERO NADIE SE ATREVE A LLEVARLE LA CONTRARIA.

¡ESE HOMBRE PODRÍA DESTRUIR EL ESTADO!
SI HAY UN LEVANTAMIENTO Y LA REBELIÓN SE EXTIENDE, LA ECONOMÍA SE IRÁ AL TRASTE.
AY...
NO SÉ QUÉ ES PEOR...
ESTE GOBIERNO IRRESPONSABLE O MI IMPOTENCIA PARA ARREGLARLO.

ENTONCES VI A UN NIÑO CAMINANDO POR LA CALLE.
...

PARECÍA TAN APENADO QUE PARÉ EL COCHE.

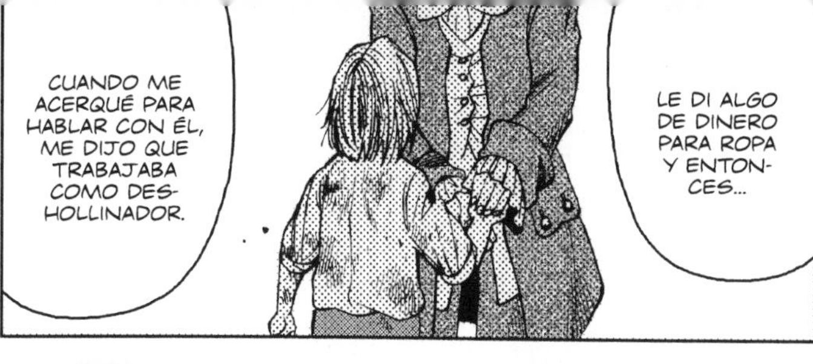
CUANDO ME ACERQUÉ PARA HABLAR CON ÉL, ME DIJO QUE TRABAJABA COMO DES-HOLLINADOR.
LE DI ALGO DE DINERO PARA ROPA Y ENTON-CES...

¿QUÉ
REES
UE ME
ESPON-
DIÓ?
¡GRACIAS, SEÑOR! ¡CON ESTO PODRÉ COMPRAR LAS MEDI-CINAS DE MI PADRE!

EN ESE MOMENTO COMPREN-DÍ...
...QUE DEBÍA HACER ALGO PARA CAMBIAR ESTA LOCURA.

ES DIFÍCIL SALVAR LA BRECHA QUE SEPARA LOS ESTAMENTOS...
...PERO CON UNA BUENA LEGISLACIÓN SE PUEDE REDUCIR LA DISTANCIA ENTRE ELLOS.

SI MI VOLUNTAD NO FLAQUEA, ES GRACIAS A SUS PALABRAS.
¡EN ABSOLUTO!
VOSOTROS ME DISTEIS EL VALOR QUE NECESITABA PARA ENFRENTARME AL ESTADO.
OS LO AGRADEZCO.

LO MISMO DIGO.
SE LO REPITO.
PARA MÍ ES UN HONOR TRABAJAR JUNTO A USTED.

SI LA GENTE COMPRENDIERA QUIÉN ES SU VERDADERO AMO...
...LA IDEA NO TARDARÍA EN EXTENDERSE.

LA SOCIEDAD EN SU CONJUNTO SE UNIRÍA...
...PARA DAR VIDA A UNA SOLA CRIATURA.

EL HÉROE...
...QUE LIBERARÍA AL HOMBRE DE LA ESCLAVITUD Y DE LOS DERECHOS A ELLA VINCULADOS.

EL JURISTA HOLANDÉS GROCIO...
...HABLA DEL SUPUESTO "DERECHO DE ESCLAVITUD" Y AFIRMA QUE SU ORIGEN ESTÁ EN LA GUERRA.

EL VENCEDOR TIENE DERECHO A ACABAR CON LA VIDA DEL VENCIDO...
...QUE TRATARÁ DE COMPRARLA ENTREGANDO SU LIBERTAD Y CONVIRTIÉNDOSE EN ESCLAVO.
GANADOR
LIBERTAD
PERDEDOR
SEGÚN ESTE PLANTEAMIENTO, EL INTERCAMBIO SERÍA LEGÍTIMO.

POR DESGRACIA...
...EL DERECHO DEL VENCEDOR NO ES UN DERECHO NATURAL.
EN EL ESTADO DE NATURALEZA, EL SER HUMANO NO TIENE RELACIÓN CONSTANTE CON SUS VECINOS. NUNCA ESTARÁ EN ESTADO DE GUERRA PUESTO QUE ES AUTOSUFICIENTE Y ALGO ASÍ HARÍA PELIGRAR SU CONSERVACIÓN.

LA GUERRA NO SURGE DE LA RELACIÓN ENTRE LOS HOMBRES, SINO DE LA RELACIÓN ENTRE LAS COSAS COMO CONSECUENCIA DE LOS CONCEPTOS DE PROPIEDAD Y ESTIMACIÓN PÚBLICA.
ÉSTA ES LA CAUSA QU HA INICIAD LA GUERRA POR LA SAL Y EL TERRITORIO.

GUERRA
ES UNA
NFRONTA-
ÓN ENTRE
S INDIVI-
DUOS.

NI TAMPOCO UN CONFLICTO ENTRE PERSONAS QUE VIVEN EN SOCIEDAD BAJO LA AUTORIDAD DE UNAS LEYES.

ENTONCES, ¿POR QUÉ LOS SERES HUMANOS ESTÁN DISPUESTOS A ENFRENTARSE ENTRE SÍ?

LA GUERRA SURGE DE LA RELACIÓN ENTRE DOS ESTADOS.
LAS PERSONAS QUE PARTICIPAN EN ELLA NO LO HACEN COMO INDIVIDUOS NI CIUDADANOS.
PLAC
A
B
FRONTERA

SE CONVIERTEN EN SOLDADOS QUE DEFIENDEN SU PATRIA Y ESTO LOS HACE ENEMIGOS POR PURA CASUALIDAD.
GUERRA
A
B
FRONTERA

LOS DEFENSORES DE LA PATRIA SON EL ÚNICO OBJETIVO QUE SE PUEDE MATAR DURANTE UNA GUERRA.
OBJETIVOS
B
A
A
A

COMO PODÉIS VER, NO HAY NADA QUE RELACIONE ESTE DERECHO CON LA ESCLAVITUD.

SIN EMBARGO, EL DERECHO DEL VENCEDO SE TRANSFORMA UNA Y OTRA VEZ EN EL DERECHO DE ESCLAVIZAR AL VENCIDO.
VENCIDO
VENCEDOR
LOS HOMBRES QUE PARTICIPAN EN UNA GUERRA SON SOLDADOS DE ESTADOS ENEMIGOS Y ESTÁN EN SU DERECHO DE ASESINAR AL OPONENTE.

YA HEMOS EXPLICADO QUE NO SE TRATA DE UN DERECHO NATURAL...
...ASÍ QUE NOS DETENDREMOS A OBSERVAR CUÁL ES EL VERDADERO OBJETO DE LA GUERRA.

LA DECLARACIÓN DE GUERRA QUE DA COMIENZO AL CONFLICTO...
...ESTÁ MÁS DIRIGIDA A LOS CIUDADANOS QUE AL GOBERNANTE ENEMIGO.
PODÉIS IMAGINARLO COMO UNA ADVERTENCIA.

EL ESTADO RIVAL QUE ASESINA, ROBA O RETIENE A LOS SÚBDITOS DE OTRA NACIÓN SIN COMUNICAR LA GUERRA A SU GOBERNANTE...
...NO ES MÁS QUE UN SIMPLE BANDIDO.

EL OBJETIVO DE CUALQUIER GUERRA...
...ES DESTRUIR EL ESTADO RIVAL.
EL RESTO DEBE CONSIDERARSE UN DELITO.

AL COMPRENDER EL VERDADERO OBJETIVO DE LA GUERRA, SE APODERARÁ DE LOS BIENES DEL ESTADO SIN ARREBATAR LA VIDA NI LAS PROPIEDADES A SUS HABITANTES.
SIN EMBARGO, EL BUEN MONARCA RESPETARÁ LOS DERECHOS AJENOS SOBRE LOS QUE SE FUNDAN LOS SUYOS.
VOY A TOMAR LOS TERRENOS DEL ESTADO,

LOS DEFENSORES DE LOS ESTADOS ENFRENTADOS SOLO TIENEN DERECHO A MATAR A SU RIVAL MIENTRAS AÚN EMPUÑE LAS ARMAS.
TAN PRONTO COMO LAS DEPONE Y CLAUDICA, DEJA DE SER EL ENEMIGO.
¡¡VICTORIA!!
SE CONVIERTE EN UNA SIMPLE PERSONA.
¡ME RINDO!
VENCIDO

A PARTIR DE AHORA UNA DE LAS PARTES SERÁ EL VENCEDOR Y LA OTRA PARTE SERÁ EL VENCIDO.
RECORDEMOS QUE EL VENCEDOR SOLO TIENE DERECHO A MATAR AL DEFENSOR DEL ESTADO ENEMIGO MIENTRAS ESTÉ ARMADO, ASÍ QUE NO PODRÁ ACABAR CON LA VIDA DEL VENCIDO.
VENCEDOR
¿QUIÉN HA GANADO REALMENTE, EH?
VENCIDO

EL RESULTADO DE UNA BATALLA NO HACE QUE EL VENCEDOR SE CONVIERTA EN "EL MÁS FUERTE".
EL SUPUESTO DERECHO DEL MÁS FUERTE PUEDE HACER QUE OTRA PERSONA SE SOMETA A ÉL, PERO EL DERECHO QUE TIENE EL VENCEDOR DE-SAPARECE TAN PRONTO COMO LOGRA LA VICTORIA.

SI ACEPTAMOS QUE EL GANADOR DE UNA GUERRA NO PUEDE A MATAR AL VENCIDO...
...EL ÚNICO DERECHO QUE LE RESTA SOLO ES APLICABLE AL SOLDADO ENEMIGO.
PL
AS
POR LO TANTO, NO TIENE NINGUNA RELACIÓN CON EL HECHO DE ESCLAVIZAR AL VENCIDO.
ASÍ QUE ELVENCEDOR JAMÁS PODRÁ ESCLAVIZAR AL VENCIDO.
¿QUÉ TAL UN RESU-MEN PARA ACA-BAR?

LA GUERRA SURGE DE LA RELACIÓN ENTRE LAS COSAS Y SE LLEVA A CABO CON EL OBJETIVO DE DESTRUIR EL ESTADO RIVAL.
DERECHO DEL VENCEDOR
ENEMIGO
VENCIDO
APLICABLE
NO APLICABLE
EL DERECHO DEL VENCEDO SOLO PUEDE EJERCERSE MIENTRAS EL SOLDADO ENEMIGO SIGA ARMADO, ASÍ QUE NO REPERCUTE EN EL VENCIDO.

SI SE CONVIERTE EN ESCLAVO, ES PORQUE SE LA ARREBATAN.
POR OTRA PARTE, EL VENCIDO NO TIENEN NINGÚN DEBER DE ENTREGAR SU LIBERTAD PARA CONSERVAR LA VIDA.
ES DECIR, QUE SOLO PODRÁ ASESINARLO EN PLENA GUERRA.

Y ESTO JAMÁS PODRÁ JUSTIFICAR LA ESCLAVITUD DEL VENCIDO.
LA ÚNICA AUTORIDAD QUE OBTIENE EL VENCEDOR ES LA FUERZA.
NO TIENEN NINGÚN DEBER DE PROLONGAR LA SITUACIÓN.
EN TIEMPOS DE GUERRA, EL PUEBLO Y LOS ESCLAVOS SÓLO DEBEN DOBLEGARSE ANTE UN SEÑOR MIENTRAS SE VEAN OBLIGADOS A ELLO.
¡SE ACABÓ EL TIEMPO DE ESCLAVITUD, QUE VAYA BIEN!

El conflicto de intereses
¡YA VIENEN!
¡EL EJÉRCITO HA VUELTO!
¡SON HÉROES DE LA PATRIA!
BLA
...
BLA
BLA
BLA
¿EL QUE VA A LA CABEZA ES EL GENERAL?
EXACTO.

Y ESO QUE NO LES HAN DADO CUARTEL...
EL PERR GUARDIÁ DEL RE
LAS TÁCTICAS DE ESE HOMBRE NOS HAN VALIDO LA VICTORIA.
ADEMÁS, HA CONSEGUIDO QUE NUESTRAS PÉRDIDAS SEAN MÍNIMAS.

SI LA REVOLUCIÓN SIGUE ADELANTE, SERÁ PELIGROSO TENER AL EJÉRCITO COMO ENEMIGO.
¿HABRÁ ALGO QUE PODAMOS HACER?

¡JA, JA, JA, JA, JA, JA!
¡BUEN TRA-BAJO, GENE-RAL!
ASÍ ME GUS-TA.

GRACIAS A TI, ESAS TIERRAS YA SON MÍAS.
EL COMERCIO CON EL EXTRANJERO ESTÁ GARANTIZADO, ¡LOS BENEFICIOS SE DUPLICARÁN!
...

MAJESTAD.
NO PUEDO CELEBRAR ESTA VICTORIA.

SI HEMOS VENCIDO, NO HA SIDO GRACIAS A NUESTRA SUPERIORIDAD.
EL RESULTADO HABRÍA SIDO MUY DIFERENTE SIN EL APOYO DEL PUEBLO. SIMPLEMENTE ENCONTRAMOS EL INSTANTE ADECUADO PARA ATACAR.
...

A ESTAS ALTURAS YA DEBERÍAS SABER QUE EL VENCEDOR SE CONVIERTE EN SEÑOR Y EL VENCIDO EN ESCLAVO.

PUEDO
AGINAR
ÓMO TE
ENTES...
...PERO EL RESULTADO ES LO QUE CUENTA.

TUS
UERZOS
OS HAN
NDUCIDO
LA VIC-
TORIA.
EL PUEBLO ESTÁ EN PAZ.
PUEDES SENTIRTE ORGU-LLOSO.

MAJES-TAD...
TENGO LA IMPRESIÓN DE HABER-LOS ARRAS-TRADO AL INFIERNO.
SIN EMBARGO, POR CULPA DE LA GUERRA SU SITUA-CIÓN HA EMPEO-RADO.
CLA
NC
¡SI-LEN-CIO!

SI PIENSA EN LO QU ES MEJO PARA EL PUEBLO, ALGUIEN NOS ANI QUILARÁ DESDE FUERA
MIS OBRAS CONSTITU- YEN LA GLORIA DE ESTA NACIÓN.

SOLO ERES U PERRO FALDE- RO.
ESTÁS AQUÍ PARA OBEDECER MIS ÓRDE- NES.
TE RECO- MIENDO QUE RE- CUERDES CUÁL ES TU SITIO.

ESCÚCHAME BIEN.
TCHAC

SI NO QUIERES ACABAR EN LA CALLE, PROCURA CONTENER TU LENGUA.
NGÚN
MO...
...CONSIENTE QUE SU PERRO LE ENSEÑE LOS DIENTES.
TCHCAH
SÍ, SEÑOR.
ESO ESTÁ MEJOR.

SOY CONSCIENTE DE LA SITUACIÓN FINANCIERA QUE ATRAVIESA EL ESTADO
Y DEBEMOS SOLVENTARLA CUANTO ANTES.
TRAS CONSULTARLO CON LOS CONSEJEROS DE ECONOMÍA, HE DECIDIDO QUE LA NOBLEZA Y EL CLERO TAMBIÉN PAGARÁN IMPUESTOS.
...
HABRA QUE CON VOCA A LAS CORTE GENE RALES

LAS CLASES PRIVILEGIADAS TENDRÁN SUS RESERVAS, PERO NO SON EL PROBLEMA...
VOY A NECESITAR TU AYUDA.
LAS CRÍTICAS AL GOBIERNO COMIENZAN A EXTENDERSE POR EL PUEBLO.
SI ESTALLA LA REBELIÓN, EL ESTADO PERDERÁ LA OPORTUNIDAD DE REORGANIZARSE.

ES INEVITABLE QUE SE PIERDAN VIDAS EN LA TRIFULCA.
LO IMPORTANTE ES CONTENERLA A TODA COSTA.
SÍ, SEÑOR.

¿ESTÁN TODOS?
SÍ, GENERAL.
¿CUÁNTOS SON HERIDOS GRAVES?
MÁS DE DOS TERCERAS PARTES.
¿Y LAS BAJAS?
...
HAY DEMASIADAS PARA CONTARLAS...

ES CIERTO QUE HEMOS VENCIDO...
...PERO SI HUBIERA CUMPLIDO MEJOR CON MI DEBER, MÁS MADRES VOLVERÍAN A VER A SUS HIJOS.
TAP
CUANDO PIENSO QUE REGRESARÉ A CASA CON VIDA...
...NO PUEDO CONTENER LAS LÁGRIMAS.
PLAM
!
¿QUÉ TE OCURRE, SOLDADO?
L... LO SIENTO, GENERAL.

...
¿TIENES FAMILIA, CHICO?
¡SÍ, SEÑOR! ¡MIS PADRES!
¡SE LO DEBEMOS!
¡HA SIDO GRACIAS A USTED!

EN ESE CASO, GUARDA LA SONRISA PARA ELLOS.

¡SÍ!

HACE ALGUNOS AÑOS NI SIQUIE-RA ME HABRÍA AFEC-TADO.
SIN EM BARGO AHORA LOS MIR Y SÓLO VEO A M HIJOS.

OPONERME AL REY POR EL BIEN DEL PUEBLO SERÍA UNA LOCURA...
LOS AÑOS ME HAN ABLAN-DADO.
FRAP

...
LOS HOMBRES A LOS QUE HEMOS MATADO TAMBIÉN TENÍAN ESPOSAS E HIJOS.

EN CUANTO A LOS SUPERVIVIENTES, NO SOLO HAN PERDIDO A SUS SERES QUERIDOS...
...SINO QUE TAMBIÉN SE HAN VISTO DESPOJADOS DE SU FUTURO.

LA GUERRA HA TERMINADO, ES LO ÚNICO QUE HA CAMBIADO.
LA BATALLA ENTRE VENCEDORES Y VENCIDOS NUNCA LLEGA A SU FIN.

SU MAJESTAD TIENE RAZÓN.
POR OTRA PARTE, NADIE PUEDE ASEGURAR QUE LAS POLÍTICAS DEL ESTADO SEAN ERRÓNEAS.

EN ESTA SOCIEDAD SOLO EL MÁS FUERTE SOBREVIVE.
VENCEDORES Y VENCIDOS, PODER Y SUMISIÓN, AMOS Y ESCLAVOS...

AUN ASÍ...
¿...QUÉ DERECHO TIENE UN HOMBRE A ARRASTRAR A LA MISERIA A SUS IGUALES?

INCLUSO CON LA VICTORIA, PUEDE QUE LA SITUACIÓN DEL PUEBLO NUNCA CAMBIE.

¿CÓMO ES POSIBLE...?

¿...QUE ALGUNOS DE ELLOS AÚN CONTEMPLEN EL MUNDO CARGADOS DE DECISIÓN?
DE ESO SE TRATA, ¿VERDAD?

ES LA MIRADA DE QUIEN TIENE VOLUNTAD PARA CAMBIAR EL GOBIERNO.
JU, JU...
¡JURÉ PROTEGER ESTA NACIÓN, MALDITA SEA!

HA-BLAMO TANTA VECES DE CÓM DEBÍA SER E FUTU RO...
TU PADRE ERA UN POLÍTICO HONRADO QUE INTENTÓ REORGANIZAR EL ESTADO POR EL BIEN DEL PUEBLO.
"EL CHICO ES UN GENIO, PERO A VECES PECA DE IMPRUDENTE... IGUAL QUE SU PADRE."
¡MONTERRE!
NO PUEDES PEDIRME QUE ME UNA A LA REVOLUCIÓN.

¿¡QUÉ EDUCACIÓN LE DIO ESE HOMBRE PARA QUE SE LE OCURRA MONTAR UNA REVOLUCIÓN!?
"ES MI ÚLTIMA VOLUNTAD, AMIGO. CUIDA DE ÉL CUANDO YO NO ESTÉ."

FRIIIS
LOS ESTAMENTOS PRIVILEGIADOS SE OPONDRÁN A LA PROPUESTA DE SU MAJESTAD.
NO HAY QUE SER UN GENIO PARA SABER LO QUE PASARÁ.

OS PROBLEMAS ENDRÁN ESPUÉS...
CUANDO PRENDAN LAS REVUELTAS.
LAS CRÍTICAS AL GOBIERNO COMIENZAN A EXTENDERSE POR EL PUEBLO.
SI ESTALLA LA REBELIÓN, EL ESTADO PERDERÁ LA OPORTUNIDAD DE REORGANIZARSE.

ES EVITABLE UE SE ERDAN AS EN A TRI ULCA.
LO IMPORTANTE ES CONTENERLA A TODA COSTA.
EL REY BUSCA LA GLORIA DEL ESTADO.
EL PUEBLO ANSÍA LA LIBERTAD.
¿EL LUCRO O EL HOMBRE? ¿QUÉ MERECE MAYOR RESPETO?

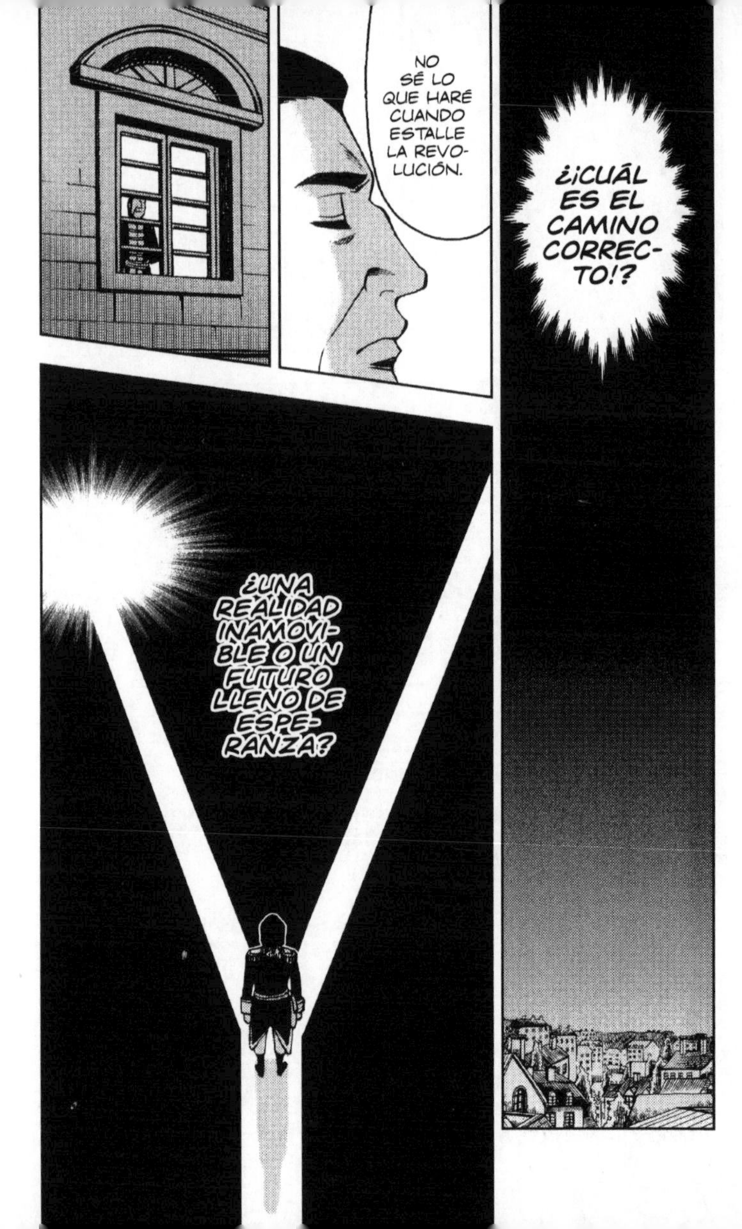
¿¡CUÁL ES EL CAMINO CORRECTO!?
NO SÉ LO QUE HARÉ CUANDO ESTALLE LA REVOLUCIÓN.
¿UNA REALIDAD INAMOVIBLE O UN FUTURO LLENO DE ESPERANZA?

LA VICTORIA EN UNA GUERRA SOLA-MENTE IMPLICA FUERZA.

POR MUCHO QUE LOS HOMBRES CORROÍDOS POR LA AVARICIA...
...SE EMPEÑEN EN CONFUN-DIRLA CON EL DERECHO DE SOMETER A SUS SEME-JANTES.

AUNQUE DIÉRAMOS POR VÁLIDO TODO LO QUE HE REFUTADO HASTA EL MOMEN-TO...
...ESO NO GARANTIZA QUE LOS DEFENSORES DEL DÉSPOTA VEAN ME-JORAR SU POSICIÓN.

SOME-TER A LA MULTI-TUD...
...Y GOBERNAR UNA SOCIEDAD SON DOS COSAS DI-FERENTES.

¡ARF!
AH...
CUANDO LOS HOMBRES DAN LA ESPALDA A SU VOLUNTAD...
...SE CONVIERTEN EN ESCLAVOS.
PODRÁN CONSTIT UNA AGRE CIÓN DE IN VIDUOS, P NUNCA HA UNA VERDA RA ASOC CIÓN ENT ELLOS.

AUNQUE NO LO PAREZCA...
...EL VERDADERO PROBLEMA NO RADICA EN EL NÚMERO DE ESCLAVOS.
PROVIENE DE LA SOCIEDAD...
QUE, FUNDADA SOBRE LA VIOLACIÓN DE LOS DERECHOS CARECE DE BIEN PÚBLIC Y CUERPO POLÍTICO.

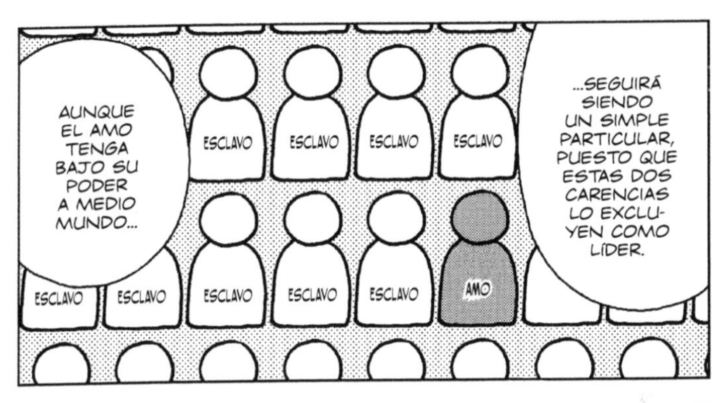
AUNQUE EL AMO TENGA BAJO SU PODER A MEDIO MUNDO...
ESCLAVO
ESCLAVO
ESCLAVO
ESCLAVO
ESCLAVO
ESCLAVO
ESCLAVO
ESCLAVO
ESCLAVO
AMO
...SEGUIRÁ SIENDO UN SIMPLE PARTICULAR, PUESTO QUE ESTAS DOS CARENCIAS LO EXCLUYEN COMO LÍDER.

AQUÍ PODÉIS VER QUE SUS INTERESES SON PRIVADOS Y NO REPRESENTAN AL CONJUNTO.
GOBERNAR SOBRE SUS SEMEJANTES.
+
AMO
DEJAR DE GOBERNAR SOBRE SUS SEMEJANTES.
-
SUS INTERESES NUNCA COINCIDIRÁN CON LOS DE AQUELLOS QUE VIVEN BAJO SU MANDO.
QUE DEJEN DE GOBERNAR SOBRE ÉL.
+
ESCLAVO
QUE OTROS GOBIERNEN SOBRE ÉL.
-

¿QUÉ CREÉIS QUE PASARÁ CON EL ESTADO CUANDO SU SEÑOR MUERA?
AMO
SU IMPERIO...
...SE DISPERSARÁ AL NO HABER NADA QUE UNA A LOS DIVERSOS ELEMENTOS.
ESCLAVO
ESCLAVO
ESCLAVO
ESCLAVO
ESCLAVO
ESCLAVO
ESCLAVO
ESCLAVO

VAMOS A VER...
...CÓMO DEBERÍA ACTUAR EL HOMBRE EN ESTA SITUACIÓN.

GROCIO DICE QUE UN PUEBLO PUEDE ENTREGARSE A SU REY.
REY
ENTREGA
PUEBLO
PUEBLO
PUEBLO
ESTO SIGNIFICA QUE EL PUEBLO YA EXISTE ANTES DE SOMETERSE AL MONARCA.
EL HECHO DE QUE SE ENTREGUE A ÉL SE CONSIDERA UNA "DONACIÓN"

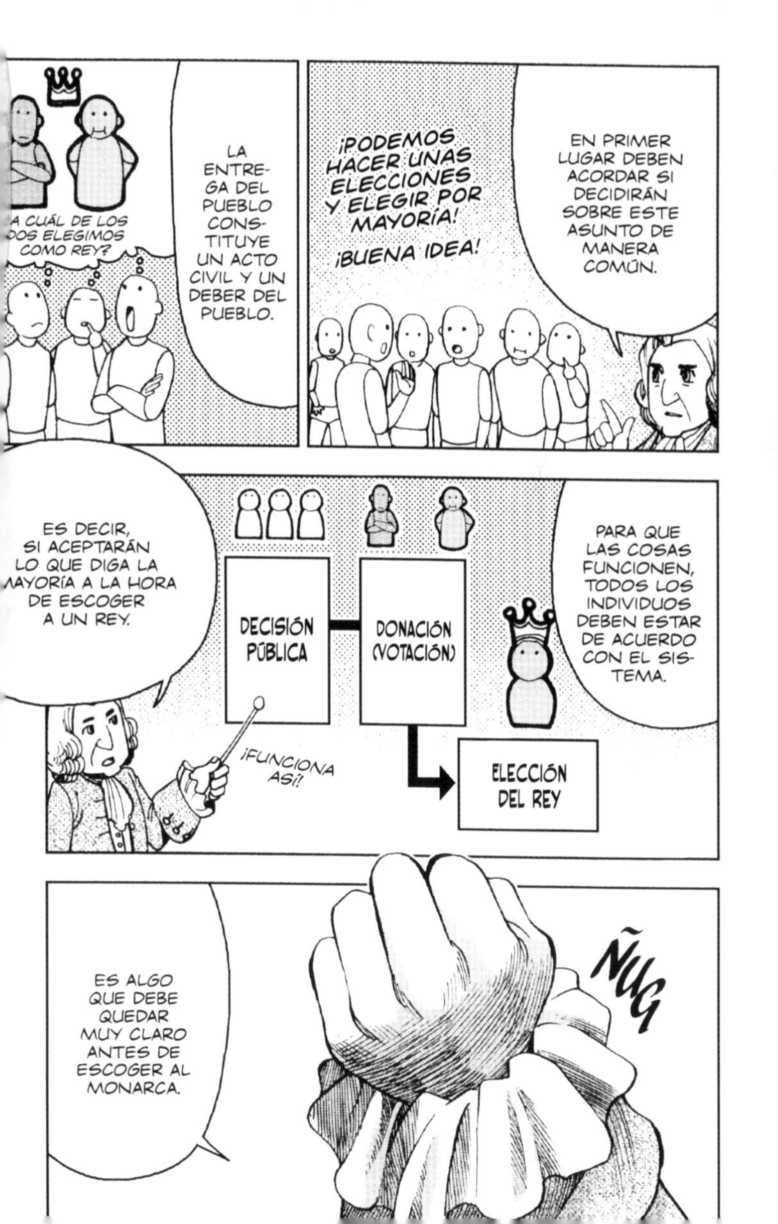
¿A CUÁL DE LOS DOS ELEGIMOS COMO REY?
LA ENTREGA DEL PUEBLO CONSTITUYE UN ACTO CIVIL Y UN DEBER DEL PUEBLO.
¡PODEMOS HACER UNAS ELECCIONES Y ELEGIR POR MAYORÍA!
¡BUENA IDEA!
EN PRIMER LUGAR DEBEN ACORDAR SI DECIDIRÁN SOBRE ESTE ASUNTO DE MANERA COMÚN.
ES DECIR, SI ACEPTARÁN LO QUE DIGA LA MAYORÍA A LA HORA DE ESCOGER A UN REY.
DECISIÓN PÚBLICA
DONACIÓN (VOTACIÓN)
ELECCIÓN DEL REY
¡FUNCIONA ASÍ!
PARA QUE LAS COSAS FUNCIONEN, TODOS LOS INDIVIDUOS DEBEN ESTAR DE ACUERDO CON EL SISTEMA.
ES ALGO QUE DEBE QUEDAR MUY CLARO ANTES DE ESCOGER AL MONARCA.
ÑUG

¡HABÉIS DESCUBIERTO EL VERDADERO FUNDAMENTO DE LA SOCIEDAD!

SIN ESTA CONVENCIÓN PREVIA...
...LA MINORÍA NO TENDRÍA POR QUÉ ACEPTAR LA DECISIÓN DE LA MAYORÍA...
...Y LOS MÁS TENDRÍAN DERECHO A VOTAR POR LOS MENOS.
SI QUEREMOS SER LIBRES, DEBE EXISTIR UN ACUERDO PREVIO...
...ENTRE TODAS
PERSONA
QUE PAR
TICIPAN
EN LA
DECISIÓ
PÚBLICA

Los mecanismos para sobrevivir

DENTRO DE SIETE DÍAS...

...SE CELEBRARÁ UNA REUNIÓN DE LAS CORTES GENERALES PARA DECIDIR SI LAS CLASES PRIVILEGIADAS TAMBIÉN DEBEN PAGAR IMPUESTOS.
CADA ESTAMENTO TIENE EL MISMO NÚMERO DE REPRESENTANTES...

...ASÍ QUE PARTIMOS CON UNA CLARA DESVENTAJA.

LA DECISIÓN SE TOMA POR MA-YORÍA...
...Y CADA MIEMBRO DE LAS CORTES TIENE DERECHO A UN SOLO VOTO.

PODEMOS DARLO POR PERDIDO.
CON ESE SISTEMA, NUNCA ESCU-CHARÁN LA VOZ DEL PUEBLO.
¡TSK!

CON LA DECISIÓN DE LAS CORTES...
...DARÁ INICIO LA REVOLUCIÓN.

SOLO HACE FALTA...

GRACIAS A TODOS OSOTROS, L PUEBLO OMPARTE AHORA NUESTRO IDEAL.
TODO MARCHA SEGÚN LO PREVISTO.

...QUE EL EJÉRCITO TRAICIONE A SU REY.
YA HE HABLADO CON EL GENERAL.
ES UN HOMBRE DE HONOR, DUDO QUE NOS DELATE Y SE EN-FRENTE AL PUEBLO.

SU DECISIÓN INCLINARÁ LA BALAN-ZA.
SIN EMBARGO, SERÍA UN MI-LAGRO...
...QUE ALGUIEN COMO ÉL APOYE NUESTRA CAUSA.

¡AÚN NO HEMOS PERDIDO LA GUERRA!
¡NO ES MOMENTO PARA HABLAR ASÍ, SEÑOR MONTERRE!

USTED NOS LO HA DEMOSTRADO.
...
...PERO, SI PERMANECEMOS UNIDOS, SUPERAREMOS CUALQUIER OBSTÁCULO.
POR SEPARADO NO HAY NADA QUE PODAMOS HACER...

SEÑOR MONTERRE.
¡ESTAMOS PREPARADOS PARA LO PEOR!

TE-
NÉIS
RA-
ZÓN.
¡ES HORA DE COMPRO-BAR HAS-TA DÓNDE PODEMOS LLEGAR!

BLA
BLA
BLA
BLA
BLA
BLA
BLA
BLA
¡SI-
LENCIO
EN LA
SALA!

DAMOS INICIO...
...A ESTA SESIÓN EXTRAORDINARIA DE LAS CORTES GENERALES.

LA VOTACIÓN DE HOY DECIDIRÁ...
...SI SE IMPONEN TASAS FISCALES A LOS MIEMBROS DEL CLERO Y LA NOBLEZA.

CADA MIEMBRO DE LAS CORTES CONTARÁ CON UN SOLO VOTO...
...Y LA RESOLUCIÓN A LA PROPUESTA SE ALCANZARÁ POR MAYORÍA.

COMO RECORDARÉIS, LAS DECISIONES DEBEN TOMARSE...

...MEDIANTE UNA DELIBERACIÓN COMÚN.

AHORA BIEN, HAY QUE ESTABLECER DE ANTEMANO CÓMO SE LLEVARÁ A CABO. SI NO LO HACEMOS, CORREMOS EL RIESGO DE QUE ALGUNOS DERECHOS SEAN VULNERADOS Y SE ALTERE EL ORDEN SOCIAL.

LOS RICOS TIENEN MUCHO
DESIGUALDAD
LOS POBRES TIENEN POCO
...PODRÍA PERDER ESA LIBERTAD POR CULPA DE LA SOCIEDAD.
NADIE SE SIENTE A GUSTO EN UN ESTADO DONDE EL ORDEN PÚBLICO SE IMPONE CON VIOLENCIA, YA QUE LOS CIUDADANOS TEMEN SER DESTRUIDOS.

ES EL MOMENTO DE QUE BUSQUEN OTRA FORMA DE ORGANIZARSE.
EL ÚNIC MODO Q TIENEN SOBRE-VIVIR...

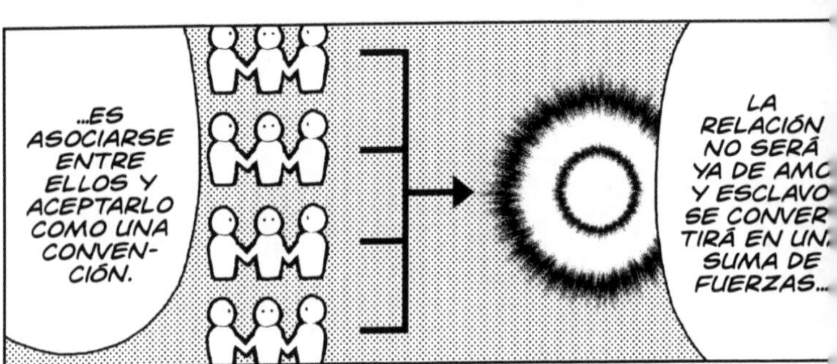
...ES ASOCIARSE ENTRE ELLOS Y ACEPTARLO COMO UNA CONVENCIÓN.
LA RELACIÓN NO SERÁ YA DE AMO Y ESCLAVO SE CONVER TIRÁ EN UN SUMA DE FUERZAS...

...CON LA QUE PODRÁN...
...SALIR VICTORIOSOS DE CUALQUIER TRANCE.

LOS HOMBRES NO PUEDEN ENGENDRAR NUEVAS FUERZAS...
...PERO ESTÁ EN SU MANO UNIR Y DIRIGIR LAS QUE EXISTEN.

LA ÚNICA HERRAMIENTA QUE TIENEN PARA GARANTIZAR SU CONSERVACIÓN...

DEBERÁN HACERLA ACTUAR AL UNÍSONO...
...ES CREAR ENTRE TODOS UNA SUMA DE FUERZAS CAPAZ DE VENCER A LA RESISTENCIA.

...Y CON UNA SOLA MOTIVACIÓN.
¡¡ES EL ÚNICO CAMINO QUE LES QUEDA!!

EN LUGAR DE UNA SOCIEDAD FUNDAMENTADA EN LA DESIGUALDAD Y LA JUSTIFICACIÓN DE LOS PODEROSOS...
...YO OS PROPONGO QUE RENUNCIÉIS A VUESTRA PERSONA Y VUESTRAS PROPIEDADES...
...QUE CADA UNO DE VOSOTROS SE UNA A SUS SEMEJANTES...
...Y QUE EL SER HUMANO SOLO SE ARRODILLE ANTE SÍ MISMO.

¡¡SOLO ASÍ TENDREMOS UNA SOCIEDAD EN LA QUE VOLVER A SER LIBRES!!

SI QUIERE CAMBIAR EL MUNDO QUE LE RODEA, DEBE EMPEZAR POR REPLANTEAR DESDE CERO LAS ESTRUCTURAS DE SU PROPIO ESTADO.
EL SER HUMANO HA PERDIDO SU LIBERTAD JUNTO CON EL ESTADO DE NATURALEZA.

LA VOTACIÓN HA CONCLUIDO.
POR DECISIÓN DE LAS CORTES GENERALES, LA NOBLEZA Y EL CLERO DEBERÁN TRIBUTAR DE HOY EN ADELANTE EL CINCO POR CIENTO DE SUS INGRESOS.

¡SE LEVANTA LA SESIÓN!

UN POCO MÁS, SOLO HAY QUE AGUANTAR UN POCO MÁS...

YA IREMOS SUBIENDO EL PORCENTAJE POCO A POCO.

HOY HEMOS VUELTO A COMPROBAR...

¡VIVIMOS EN UNA SOCIEDAD SIN DERECHOS, SIN DEBERES, SIN LIBERTAD!

...SOLO PROTEGE LOS INTERESES DE UNOS POCOS.

DEBEMOS CAMBIARLA.
O LA DESIGUALDAD QUE LA CORROMPE NUNCA DESAPARECERÁ.

SI LA REVOLUCIÓN TIENE ÉXITO, VIVIREMOS EN UN ESTADO QUE NOS HAGA LIBRES.
SI FRACASA, NO VOLVEREMOS A SERLO.

DEBO COMPROBARLO UNA VEZ MÁS.
¿¡OS ARREPENTIRÉIS DE VUESTRA DECISIÓN SI FRACASAMOS!?
¡¡NO, SEÑOR!!

DIME.
TENGO QUE HABLAR CON USTED, GENERAL.

DENTRO DE SIETE DÍAS...

VERÁ...

...MAR-CHARE-MOS SOBRE PALA-CIO.

CONFÍO EN USTED.

ESCU-CHADME BIEN.

SOL-DA-DOS.

GLUPS
¿GENE-RAL?

Una nueva sociedad

¡MAJESTAD!
¡ESTO NO PUEDE ACABAR BIEN!
AL MENOS, NO PARECE QUE VAYAN ARMADOS...

¡NO PODEMOS ESPERAR A QUE ESTALLE EL CAOS!
TAP
¡AVISA AL EJÉRCITO!
TAP

!!

PERO...
¿¡DÓNDE ESTÁ EL EJÉRCITO!?
¿¡QUÉ HA PASADO CON LOS SOLDADOS!?

¡¿QUÉ SE HA CREÍDO!?
MALDITO INÚTIL...

TAP
ESPERO QUE AL FIN LO HAYA COMPRENDIDO.

¡YO SOY MI PROPIO DUEÑO Y NO ME DOBLEGARÉ ANTE NADA QUE NO SEA MI VOLUNTAD!
NO SOY UN PERRO FALDERO.

TAP
FUE ENTONCES...

...CUANDO COMPRENDÍ EL ALCANCE DE MI FUERZA Y VISLUMBRÉ EL CAMINO QUE LLEVA A LA LIBERTAD.

E... ¿ES U TRUC PAR DIS- TRAE NOS
S... ¡SE ACER- CAN!
...
¡NO, NO LO ES!
TAP
TAP
!!
ZRASH

RAAAAC

¿QUÉ HACÉIS AHÍ PLANTADOS?
¡NADIE SE INTERPONDRÁ EN VUESTRO CAMINO!

LES HAN BIER- O LA UER- TA!?

NO TE EQUIVOQUES, MONTERRE. ESTO LO HAGO POR MI PROPIO BIEN.

CREÍA ESTAR LUCHANDO POR MI PATRIA, PERO NO ERA ASÍ.
MI VICTORIA SOLO HA SERVIDO PARA EM-PEORAR LAS COSAS Y CONSUMIR LA SOCIE-DAD.

SIN DARM CUENTA ME HE CONVERTID EN UN PER AL QUE HA CARGADO D CADENAS Y HAN DES POJADO D SU LIBER TAD.

AHORA QUE HE ABIERTO LOS OJOS, MI VOLUN-TAD SOLO GRITA UNA COSA.
¡¡VUELVE A SER LIBRE!!
TENÉIS AL EJÉR-CITO DE VUESTRA PARTE.

SI ES PARA SALVAR A LA MADRE PATRIA...
...APOYA-REMOS LA REVO LUCIÓN.

¡POR FIN HA LLEGADO EL MOMENTO!
¡RECUPERAREMOS NUESTRO HOGAR!
¡EL REY YA NO PUEDE ASUSTARNOS!
YA!

HAY UN VÍNCULO QUE NOS UNE A TODOS.
LOS HOMBRES QUE HASTA AYER ESTABAN SEPARADOS HOY SE ALÍAN.

¡¡ESCUCHADME UN MOMENTO!!

¡¡OS DOY LAS GRACIAS!!

¡¡YO SOLO SOY UN HOM-BRE!!
¡SI NO HUBIERA SIDO POR VOSOTROS, NUNCA HABRÍA LLEGADO TAN LE-JOS!

AÚN ES PRONTO PARA ESO.
PAT
ES-PERE A QUE ACABE-MOS.

TAP
¿LISTOS

!?
¡¡ADELANTEEEE!!

TROM
TROM
¡¡UAAAH!!
!!

ÑIIIG
TAP
¡¡ALTO AHÍ, MAJESTAD!!
!
NO PUEDE SER CIERTO...

¿¡A-DÓNDE VAIS!?

TCHAC
¡¡APARTAD!!
QU... ¿¡QUÉ ESTÁIS HACIENDO!?

DECÍAIS QUE TODO ERA PAR GLORIA DEL ESTADO SIN EMBARGO, VOS SOIS EL ÚNICO QUE SE HA BENEFICIADO DE SUS DERECHOS Y SU FORTUNA.
TAP
MAJESTAD...
TAP

¿¡CÓMO HAS DICHO!?
NADIE SE VA A MOVER.

LA AVARICIA OS HA CORROMPIDO.
INCLUSO LA NOBLEZA Y EL CLERO OS HAN ABANDONADO.

¡¡LOS APOSENTOS DE SU MAJESTAD!!
¡ALLÍ!
TAP TAP

TROOMP
¡!
¡¡¡H!!
¡AH!

TAP
F... ¡FUERA!
¡¡NO OS ACERQUÉIS!!
TAP
MAJESTAD...
TAP

¡SOLO SON PALA-BRAS VACÍAS
¡NO FINJAS QUE NOS EN-TIEN-DES!
¡¡SI-LEN-CIO!!
!!
¿QUÉ QUE-RÉIS?
PEDID LO QUE MÁS OS PLAZCA...
¿DI-NERO? ¿DERE-CHOS? ¿TIE-RRAS?

¡¡SO-MOS SERES HUMA-NOS, IGUAL QUE TÚ!!

¿¡HABÉIS VISTO ESO!?
ES UN MILAGRO...
¡¡PASO!!
LO HAN CONSEGUIDO!
¡¡LA EVOLUCIÓN HA TRIUNFADO!!

PAPÁ...
¡VEN AQUÍ!
¡¡PAPÁ!!
¿¡HABÉIS APRESADO AL REY!?
¡¡BIEEEEN!!
COMPRUÉBALO TÚ MISMO.
HA LLEGADO LA HORA DE CREAR UNA NUEVA SOCIEDAD ENTRE TODOS.
PODRÁS IR A CLASE Y ESTUDIAR.
¡SÍ!

ES MENTIRA...
NO EXISTE...
TEK TEK TEK
TEK TEK TEK

EL SER HUMANO ES AMBICIOSO POR NATURALEZA.
LA SOCIEDAD DE LA QUE TANTO HABLÁIS NO EXISTE.
EN ESTE MUNDO...
...EL HOMBRE SOLO ES UNA HERRAMIENTA PARA MI SUPERVIVENCIA.

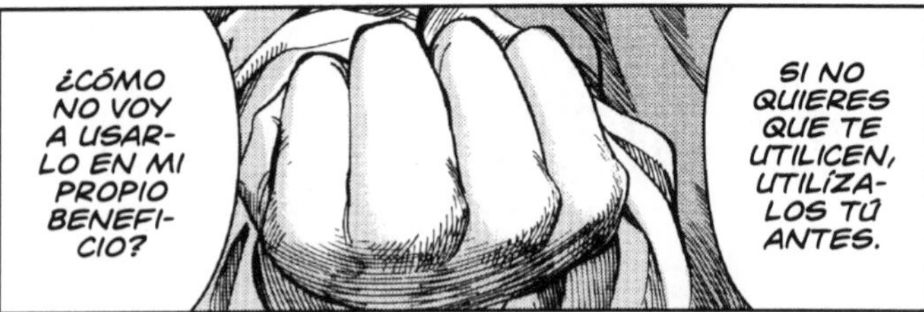
¿CÓMO NO VOY A USARLO EN MI PROPIO BENEFICIO?
SI NO QUIERES QUE TE UTILICEN, UTILÍZALOS TÚ ANTES.

JAMÁS HABRÁ UNA SOCIEDAD...
¡¡...DONDE REINE LA IGUALDAD!!

El Estado ideal

NUESTROS AMIGOS HAN ALCAN-ZADO LA VERDADERA LIBERTAD.
ES DECIR, EL ESTADO ORIGINAL DEL SER HUMANO.

HASTA AHORA SE HABÍAN LIMITADO A MALVIVIR A CAUSA DEL GOBIERNO EGOÍSTA DE SU REY.
POR SUERTE, LAS COSAS HAN CAM-BIADO.
GRACIAS AL CONTRATO QUE SE HA ESTABLECIDO ENTRE ELLOS, AHORA PUEDEN GOBERNAR UNIDOS.

EN ESTE NUEVO SISTEMA POLÍTICO SE APOYA EN LA VOLUNTAD DEL PUEBLO Y LA DECISIÓN DE TODOS SUS INTEGRANTES.
HE AQU LAS BASES DE LA DEMOCRACIA.

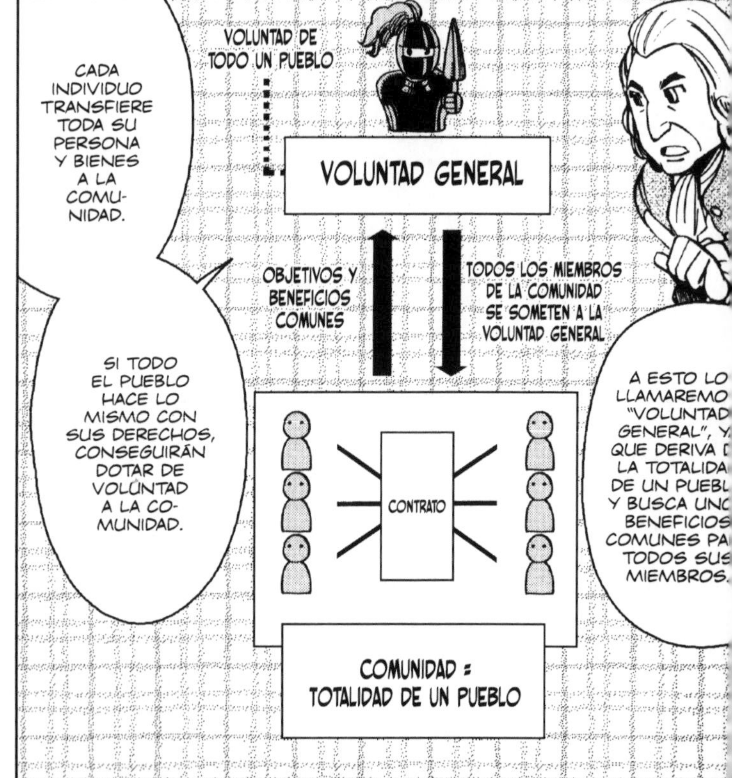
CADA INDIVIDUO TRANSFIERE TODA SU PERSONA Y BIENES A LA COMUNIDAD.
SI TODO EL PUEBLO HACE LO MISMO CON SUS DERECHOS, CONSEGUIRÁN DOTAR DE VOLUNTAD A LA COMUNIDAD.
VOLUNTAD DE TODO UN PUEBLO
VOLUNTAD GENERAL
OBJETIVOS Y BENEFICIOS COMUNES
TODOS LOS MIEMBROS DE LA COMUNIDAD SE SOMETEN A LA VOLUNTAD GENERAL
CONTRATO
COMUNIDAD = TOTALIDAD DE UN PUEBLO
A ESTO LO LLAMAREMO "VOLUNTAD GENERAL", Y QUE DERIVA D LA TOTALIDA DE UN PUEBL Y BUSCA UN BENEFICIOS COMUNES PA TODOS SUS MIEMBROS.

MUY BIEN.
CREO QUE YA PODEMOS PASAR AL RESUMEN FINAL.

EN EL ESTADO DE NATURALEZA, LA VOLUNTAD DEL HOMBRE ES LIBRE Y POSEE LA FACULTAD DE PERFECCIONARSE.
PODEMOS CONSIDERAR QUE ES UNA CRIATURA AUTOSUFICIENTE.

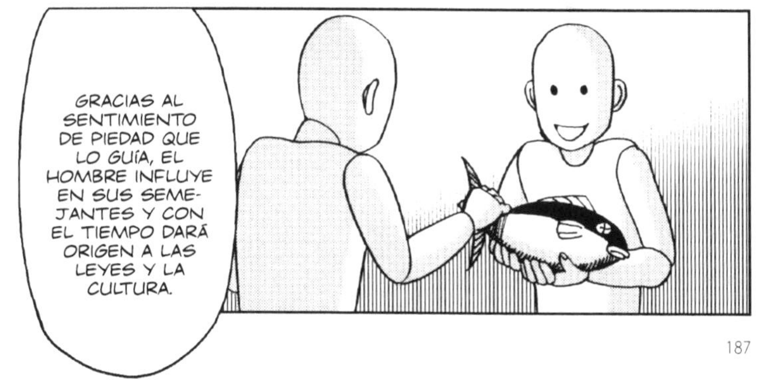
GRACIAS AL SENTIMIENTO DE PIEDAD QUE LO GUÍA, EL HOMBRE INFLUYE EN SUS SEMEJANTES Y CON EL TIEMPO DARÁ ORIGEN A LAS LEYES Y LA CULTURA.

MÁS TARDE NACERÁ EL CONCEPTO DE FAMILIA Y EL SEDENTA-RISMO...
...CON TODA LA RIQUEZA EMOCIO-NAL QUE REPORTA.
MI CASA Y MIS TIERRAS
MI FAMILIA
YO
Y JUNTO A ELLO, LA NOCIÓN DE PROPIEDAD.

COMO CONSE-CUENCIA DEL AVAN-CE DE LA CULTURA Y LA RAZÓN SURGIRÁN TAMBIÉN LOS GRU-POS SO-CIALES...
...Y LA ESTIMA PÚBLICA.
ÉSTE ES EL ORIGEN DE LA DESI-GUAL-DAD.

LOS INDIVIDUOS QUE POSEEN BIENES Y HABILIDADES GOZAN DE LA ADMIRACIÓN DE SUS SEMEJANTES, LO QUE ALIMENTA SU ORGULLO.
MIENTRAS TANTO, SON OBSERVADOS CON ENVIDIA POR PARTE DE AQUELLOS QUE CARECEN DE LO QUE ELLOS TIENEN.

ESTE HECHO...
...CREA UN ABISMO INSALVABLE ENTRE FUERTES Y DÉBILES, AMOS Y ESCLAVOS, RICOS Y POBRES.
HASTA QUE UN DÍA SURGE UNA SOCIEDAD AMPARADA POR UNAS LEYES QUE SÓLO BENEFICIAN A LOS DERECHOS DEL AMO.

EL ORDEN SOCIAL ES SOLO UNA EXCUSA PARA AQUELLOS QUE GOBIERNAN SOBRE LA MULTITUD.

LA DES-IGUAL-DAD...
...ES LA LACRA DE NUESTRA SOCIEDAD.

SI QUEREMOS UNA SOCIEDAD LIBRE DONDE REINE LA IGUALDAD...
...LOS HOMBRES TENDRÁN QUE OBEDECER A LA VOLUNTAD GENERAL Y ESTABLECER UN NUEVO VÍNCULO ENTRE ELLOS QUE GARANTICE EL ORDEN SOCIAL.

PARA QUE FUNCIONE, CADA UNO DE NOSOTROS DEBERÁ CEDER TODA SU PERSONA Y SUS BIENES A LA COMUNIDAD.
TODO DERECHO DERIVARÁ DE ESTA VOLUNTAD GENERAL, LA IGUALDAD SERÁ RESPETADA Y LOS CIUDADANOS SOLO CEDERÁN ANTE SU PROPIA VOLUNTAD. HE AQUÍ EL CAMINO PARA ALCANZAR LA LIBERTAD CIVIL.

LOS INDIVIDUOS DEBEN MANTENERSE UNIDOS...
...MEDIANTE LAS CADENAS DEL CONTRATO SOCIAL, LA BASE DE TODA SOCIEDAD.

LA OBRA ESTÁ COMPUESTA POR UN TOTAL DE CUATRO LIBROS, EL SEGUNDO DE LOS CUALES HABLA SOBRE LA LEGISLACIÓN.

EL TERCERO ESTÁ CENTRADO EN EL GOBIERNO, EJE DE CUALQUIER NACIÓN...
...Y EL CUARTO OFRECE U DISCURSO SOBRE LA ESTRUCTURAS DE ESTADO IDEAL.

ESTAS PÁGINAS RECOGEN LOS SEIS PRIMEROS CAPÍTULOS DEL LIBRO I DE EL CONTRATO SOCIAL.

ESTE TEXTO DE DIFÍCIL COMPRENSIÓN FUE PUBLICADO EN 1762.
EN JAPÓN SE DIO A CONOCER GRACIAS A LA LABOR DE CHÔMIN NAKAE, EL DENOMINADO "ROUSSEAU ORIENTAL", Y SU OBRA MIN'YAKU YAKKAI (TRADUCCIÓN Y EXPLICACIÓN DEL CONTRATO SOCIAL), QUEDANDO PARA SIEMPRE RELACIONADO CON EL MOVIMIENTO EN DEFENSA DE LOS DERECHOS DEL PUEBLO.
CHÔMIN NAKAE
1847-1901

EL SER HUMANO NACE LIBRE...
...PERO LAS CADENAS DEL ORDEN SOCIAL NO TARDAN EN APRESARLO.

LA AMBICIÓN QUE HABITA EN LA SOCIEDAD...

...DA PIE A LA DESIGUALDAD.

AQUEL QUE DESEE SER LIBRE...
¿ASÍ ES EL ORDEN AL QUE ASPIRAMOS?

...DEBE PLAN-TEAR-SE...
...SI EN SU MUNDO EXISTE LA LIBERTAD.

EL CONTRATO SOCIAL

el manga

FIN